Sanación natural del dolor

Sanación natural del dolor

Jan Sadler

Grupo Editorial Tomo, S. A. de C. V.
Nicolás San Juan 1043
03100 México, D. F.

1a. edición, noviembre 2003.

Nicolás San Juan 1043, Col. Del Valle
03100 México, D.F.
Tels. 5575-6615, 5575-8701 y 5575-0186
Fax. 5575-6695
http://www.grupotomo.com.mx
ISBN: 970-666-876-4
Miembro de la Cámara Nacional
de la Industria Editorial No 2961

Traducción: Alma Alexandra García y Tziviah Aguilar Aks
Diseño de portada: Trilce Romero
Supervisor de producción: Leonardo Figueroa

Impreso en México - *Printed in Mexico*

Reconocimientos

Estoy profundamente agradecida a todos aquellos que han contribuido en alguna forma a la realización de este libro.

Mi más grande agradecimiento a: Vicky Dowsell por su fe absoluta en el proyecto; a Rosalie Everatt de *Pain-Wise UK* por su animoso apoyo y conocimiento enciclopédico del "mundo del dolor"; a Marie Langley de *Unwind* por su aliento y apoyo durante muchos años; al Dr. Bran Roet por leer el manuscrito y por sus palabras de ánimo; al Profesor Patrick Wall del Departamento de Fisiología de St. Thomas, en Londres, por leer el manuscrito y por escribir amablemente el Prólogo; al Dr. Chris Wells, Consultor en Alivio del Dolor, de Liverpool, por sus comentarios de apoyo y sus sugerencias prácticas e ideas en la etapa de edición; a Mary Wolstenholme por investigar con gran entusiasmo para mí, sin olvidarme de Stephen, por el tiempo que pasó navegando en Internet también para mí, y al Dr. Arthur Wooster, del Departamento de Psicología Clínica, en Mansfield, por compartir conmigo sus pensamientos de autoayuda a lo largo de los años.

Un agradecimiento especial a toda mi familia y amigos por su amor, apoyo y aliento, y, finalmente, mi gratitud a todas las personas que sufren de dolor y que me han escrito a lo largo del tiempo.

Prólogo

Aplaudo a Jan Sadler por escribir este libro e insto a sus lectores a que lo cuiden y lo disfruten como lo harían con un nuevo buen amigo.

Hay algunos dolores que los médicos y cirujanos pueden quitar y ellos les dan la bienvenida. No creo que los lectores de este libro tengan esa clase de dolores o no tendrían razón para llegar hasta esta parte del libro. Uno de este tipo de dolores es el terrible dolor punzante que da en el rostro llamado neuralgia del trigémino. La mayoría de las personas que padecen este dolor responde maravillosamente a las tabletas y, si no, de una forma simple, segura y sumamente efectiva, la neurocirugía acaba con el dolor. Gracias a este dolor los doctores y cirujanos pueden actuar en su tradicional manera autoritaria. Pueden "quitar" el dolor como un acto de robo sin necesidad de involucrar a la víctima. ¡Qué agradable sería si todos los tratamientos para el dolor fueran así: el equivalente a tomar una astilla de la mano! Muchos doctores y algunos pacientes actúan como si así fuera. El doctor da una prescripción y ordena, "Tómese esto tres veces al día y véame en un mes". El "buen" paciente, pasivo y obediente, anuncia "Estoy *bajo* un tratamiento médico".

En el mundo real, existen dolores mucho más comunes como la artritis, donde esta actitud no sólo es común sino que lleva al enojo y a la frustración tanto al doctor como al paciente. Es verdad que las tabletas, y algunas veces la cirugía, pueden llevar a una mejoría considerable, pero no se deshacen del dolor en la forma en como puede tratarse el primer tipo de dolor.

Hace muchos años fui testigo de un tratamiento que se da en hospitales de China. Quedé positivamente sorprendido por la atmósfera tan relajada y de cooperación que había. Como extranjero con frecuencia me fue difícil distinguir al personal médico de los pacientes. En repetidas ocasiones se me dijo, "Reclutamos al paciente para que sea miembro de su propio equipo de tratamiento". Esto es lo que todos los doctores deberían hacer y lo que todos los pacientes deberían demandar. El paciente debe estar informado e involucrado para que el equipo pueda alcanzar los mejores resultados posibles. El libro de Jan Sadler ayuda en este esfuerzo de cooperación.

Finalmente, existen algunos tipos de dolor, como la fibromialgia, respecto del cual los grandes expertos del mundo aún no entienden su origen y no hay medicina o cirugía que específicamente pueda eliminarlo. En cierto sentido, estos son los peores tipos de dolor porque aíslan a la víctima. Algunos doctores chapados a la antigua e incluso amigos y familiares le dicen a la víctima, "No tienes nada", y se lo dicen porque no hay una causa detectable para su dolor. Nadie puede encontrar la "astilla" en el lugar donde duele. Las víctimas son abandonadas y se sienten tristes. Y entonces viene Jan Sadler, que cree en la realidad del dolor y el sufrimiento de estas personas. Ella ha pasado por algo así. Muestra un camino, que requiere de valentía, en el que el paciente adopta una parte de la responsabilidad para explorar y ayudar a su condición.

Aquellos de nosotros que trabajamos profesionalmente con los problemas del dolor, debemos redoblar nuestros esfuerzos para descubrir el origen de los dolores, particularmente de aquellos cuya causa es desconocida y que son tratados con terapias no efectivas. Todos nosotros, ya sea que estemos inmersos en el dolor o no, deberíamos aplaudir a aquellos que luchan por entender sus dolores personales y llevarlos ante las formas de control que este libro describe.

Profesor Patrick D. Wall, FRS, DM, FRCP

Introducción

La fuerza natural de curación que yace dentro de cada uno de nosotros es la fuerza más grande que existe para obtener alivio.

Hipócrates

No importa en qué lugar se localice el dolor, cuán intenso es, durante cuánto tiempo lo has padecido o qué lo ha provocado. En este libro encontrarás un alivio para el dolor. Tú, al igual que yo, ya posees la capacidad de reducir tu dolor. Has escondido poderes y fuerzas muy en lo profundo de tu ser que son los medios para energetizar tus poderes naturales de curación. Con las actividades prácticas que te muestro en este libro puedes desencadenar y maximizar tu potencial pleno de curación y alivio del dolor.

Después de una herida de espalda y una operación descubrí que la terapia con medicinas, sola, era insatisfactoria para manejar el dolor, así que comencé a desarrollar mis propias estrategias de manejo del dolor.

Durante mi viaje hice muchos descubrimientos maravillosos acerca de mis propios poderes internos para reducir el dolor y la incomodidad, para hacer cambios y recuperar el control de mi vida. El éxito que tuve me llevó a hacer programas para otras personas no sólo acerca de cómo manejar el dolor sino también acerca de cómo afecta diversos aspectos de nuestra vida. Finalmente, escribí este libro para todos aquellos que están buscando una forma de ayudarse a sí mismos. Vivo diariamente con los desafíos que plantea el dolor, y por eso el libro está escrito desde mi conocimiento y experiencia personales de técnicas que me han funcionado a mí y a miles de personas, y que también te funcionarán a ti. La primera vez que luché contra el dolor había muy poco apoyo disponible; este es el libro que me hubiera gustado tener.

La forma en la que experimentas el dolor está íntimamente relacionada, en una forma única y especial, con tus reacciones personales. Tus reacciones personales están dentro de tu poder de influencia y cambio. Las técnicas contenidas en este libro te mostrarán cómo llevar a cabo los cambios que deseas. El libro tiene un enfoque estructurado, pero flexible, y está repleto de ideas que te permitirán adquirir un nuevo sentido dinámico de estar a cargo de tu situación y te ayudará a reducir el dolor y a vivir de forma más pacífica con él. Además de ayudarte a aminorar tu incomodidad física, este libro te mostrará también cómo aumentar tu autoestima y cómo llevar una vida más plena y agradable.

Trabaja a tu propio ritmo con las técnicas del libro y, por favor, no abarques demasiado al principio. Tal vez quieras tomar algunas de las ideas primero y tal vez otras en unas cuantas semanas, meses o quizá dentro de un año. Recuerda: no tienes que hacer todo al mismo tiempo. Un paso a la vez, eso es todo lo que podemos hacer. Sé amable con tu enfoque y utiliza las técnicas con una actitud de respeto y amabilidad hacia ti. Disfruta las actividades: están escritas para tu beneficio y para tu bien.

Las técnicas no necesariamente van a reemplazar un tratamiento, ya sea convencional o alternativo, que estés llevando, sino que se usan como un complemento. Aun si estás llevando un tratamiento de algún tipo, *tú* sigues siendo el único que tiene el poder de manejar el dolor y el efecto que puede tener en tu vida. Con las técnicas de este libro puedes aprender a utilizar tu poder personal para trabajar *con* el tratamiento y *con* el dolor.

POR DÓNDE COMENZAR

El libro está dividido en Unidades, cada una dedicada a un aspecto particular del alivio natural del dolor. Las Unidades son completas en sí mismas, y proporcionan detalles completos de técnicas útiles, fáciles de comprender, estimulantes y prácticas. Algunas de las actividades son muy cortas y rápidas de hacer y algunas requieren más tiempo y pensamiento.

No es necesario que te sientas y leas todo el libro, como lo harías con una novela; este es un libro para sumergirse en él, en cualquier orden. Así pues, antes de que decidas por dónde quieres comenzar, hojea el libro y date una idea del contenido. Si eres nuevo en el alivio natural del dolor, un buen lugar para comenzar es la Unidad 1, que habla de la relajación, y luego puedes trabajar en el libro a partir de ahí. Si estás escogiendo este libro justo cuando tienes un ataque de dolor, la Unidad 9 puede ayudarte pues trata acerca de los ataques, así que tal vez quieras empezar ahí. Aquellos de ustedes que tengan experiencia de autoayuda pueden descubrir que algunas de las Unidades contienen técnicas que les son familiares y que tal vez ya dominen, pero seguramente hay algo nuevo dentro de las Unidades que pueden probar. El libro es meramente una guía de todas las técnicas maravillosas que están disponibles; toma lo que necesites, cuando lo necesites.

Recuerda esto: no importa cuál es tu situación, *siempre* hay algo que puedes hacer para reducir el dolor y mejorar tu estilo de vida. Deja que este libro sea tu amigo y tu guía. Ya no estás solo; únete a las muchas otras personas que están en este mismo viaje contigo y conmigo.

UNIDAD 1

El poder de la relajación profunda

ÍNDICE

Examen de tensión muscular 18
Nuestra respiración: clave de la relajación 20
Examen de respiración 21
Práctica de respiración 22
Método básico de relajación: El "escaneo corporal" 24
    Cómo llevar a cabo "el escaneo corporal" 26
    Formas para prolongar la relajación 30
    Practica la relajación 31
Mini-relajadores 33
    El localizador de tensión 33
    Reductor portátil del dolor 35
Recuerda recordar 36
Lineamientos de acción 37

Dentro de nosotros tenemos un poder natural que tiene la capacidad de proporcionarnos una paz profunda, tranquilidad y alivio del dolor. Podemos provocar estas maravillosas sensaciones aprendiendo una técnica especial de relajación y respiración. Este es uno de tus recursos más importantes que te ayudan a reducir el dolor y a promover la autocuración. Este poder interior siempre ha estado presente y siempre lo estará, disponible para que recurras a él cuando lo necesites. Aprender cómo usar tu respiración para promover la relajación profunda puede mejor tu calidad de vida de una manera radical.

Es posible obtener una libertad casi inmediata del dolor y de la incomodidad con la relajación profunda. El alivio del dolor puede durar toda la sesión de relajación o puedes obtener los beneficios de percibir niveles bajos de dolor durante un periodo más largo. Entre más practiques, la relajación será mejor y más efectiva. Si te puedes dar el tiempo para relajarte profundamente una, o de preferencia, dos veces al día, vas a sentirte más tranquilo y con un mayor control de tu situación, y estarás en camino de una vida más agradable y con menos dolor.

Recuerda, todos podemos hacerlo, no tienes que ser una persona especial. Este poder interior está con nosotros desde que nacemos, pero tiende a vivir olvidado o no utilizado. Aprender a relajarme y a que los sentimientos de tranquilidad y paz afloraran a la superficie fue una de las primeras maneras en las que empecé a ayudarme, y mi primera experiencia de relajación fue una revelación. Fue maravilloso descubrir esa clase de tranquilidad y la libertad del dolor.

Ahora bien, quizá piensas que ya sabes cómo relajarte o que estás relajado cuando ves la televisión, lees o descansas plácidamente, pero lo que quiero decir con relajación es algo totalmente diferente. La relajación profunda que puede liberar tus poderes internos de curación y de alivio del dolor está en un nivel diferente del que se alcanza simplemente al estar sentado o acostado. Lo que buscas es que tus músculos estén relajados y que los ritmos de tus órganos internos y de tu cuerpo se lentifiquen. Los músculos apretados y tensos no sólo provocan dolor sino que evitan que tus procesos de curación se lleven a cabo eficazmente. Aunque pienses que estás relajado, es muy normal que tu cuerpo esté lleno de tensiones ocultas. Por ejemplo, mientras lees este libro, examina tu cuerpo, trata de hacer el siguiente examen corporal.

EXAMEN DE TENSIÓN MUSCULAR

¿Tu mandíbula está tensa?...
¿Tu frente está arrugada?...

¿Estás tomando el libro con demasiada tensión en tus manos?
¿Tus piernas están cruzadas una sobre la otra?...
¿Los dedos de tus pies están engarruñados?

Quizá hayas liberado algo de tensión muscular durante el examen corporal anterior, pero muy probablemente no estabas consciente de la mayoría de las tensiones musculares que todavía existen en varias partes de tu cuerpo. Esto ocurre porque nos acostumbramos tanto a mantenernos en una postura en particular que ya no notamos las tensiones. Esto no fue así desde el principio; estas tensiones se han acumulado al paso de los años. Hemos perdido el contacto con nuestro cuerpo y hemos levantado barreras que evitan que los poderes curativos de la naturaleza nos ayuden tan eficazmente como podrían hacerlo. Mediante la relajación podemos permitir que se liberen muchas o todas estas tensiones y, por consiguiente, empezamos a sentirnos mucho mejor, e incluso descubrimos que no sentimos dolor durante algún tiempo. La relajación es acumulativa; así que si aumentas tu relajación y tranquilidad durante el día, pronto notarás la diferencia en tu vida.

Quizá hayas notado que he estado hablando de permitir que la "relajación" ocurra. Es algo que no podemos hacer que pase, pues al intentar relajarnos con todas nuestras fuerzas sólo aumenta la tensión. De la misma manera, no podemos forzar el sueño; debemos permitir que el sueño nos tome. Para lograr la relajación profunda tenemos que darnos el permiso de soltarnos y darle libertad a nuestra curación interior.

NUESTRA RESPIRACIÓN: CLAVE DE LA RELAJACIÓN

Entre más comprendamos lo que pasa durante la relajación, más apreciaremos la importancia de la respiración, que es la clave de la relajación profunda que nos da paz y alivia el dolor. La respiración siempre está presente y disponible para nosotros con una facilidad sorprendente y casi mágica. Durante una sesión completa de relajación nuestra respiración se hace más profunda y lenta. Esto permite que los músculos se relajen y que el flujo sanguíneo aumente, nutriendo así todas las partes de nuestro cuerpo, y facilitando que todos nuestros sistemas internos se lentifiquen. Empezamos a sentirnos pesados, sentimos calor y comodidad, tanto, que ya no sentimos nuestro cuerpo. La respiración lenta y profunda durante la relajación promueve un sentimiento de bienestar general, reduce nuestro ritmo cardiaco, y lo mejor de todo es que las endorfinas, los analgésicos naturales del cuerpo, son liberados al torrente sanguíneo. La mente se lentifica y nos sentimos muy tranquilos y en paz. Todos estos efectos provienen de la manera en que respiramos durante la relajación.

Tenemos la tendencia a dar por sentada nuestra respiración y no le ponemos mucha atención. Muchos de nosotros, especialmente cuando sentimos dolor, utilizamos un tipo de respiración ineficiente, mientras que si la usamos correctamente, la respiración puede convertirse en nuestro aliado más poderoso; así que en primer lugar pregúntate ¿cómo estoy respirando?

EXAMEN DE RESPIRACIÓN

Examina tu respiración en este momento. Pon una mano en tu pecho y la otra entre el tórax y el abdomen. Deja que tus manos descansen ahí durante unos cuantos minutos. Luego fíjate qué mano se mueve más.

La mano de abajo es la que esperaríamos que se moviera más en una respiración normal y tranquila. A esto se le llama respiración diafragmática.

El diafragma es un músculo grande en forma de domo que está pegado a la parte inferior de nuestra caja torácica. El diafragma es como el piso del tórax, y ocupa el espacio que separa al pecho de los órganos abdominales. Cuando respiramos, el diafragma se mueve hacia abajo y empuja el abdomen hacia fuera; la caja torácica se expande y las costillas se mueven hacia los lados y hacia fuera, tanto en la parte anterior como posterior del pecho. Cuando exhalamos, el diafragma se desplaza hacia arriba, permitiendo que el abdomen se contraiga y el aire usado sea expulsado.

Esta es la manera más eficiente y saludable de respirar. Si en lugar de utilizar la respiración diafragmática utilizamos habitualmente los hombros, el cuello y la parte superior de los músculos del pecho, respiramos rápidamente, superficialmente y la respiración no es eficiente y esto nos puede hacer sentirnos tensos y mal.

La respiración profunda diafragmática tiene un efecto relajante sobre los músculos y permite que el oxígeno que inhalamos se utilice más eficazmente para alimentar y regenerar todas las células de nuestro cuerpo. Durante la exhalación, los desechos de las células se expulsan, y esto hace que nuestro cuerpo se despoje de las impurezas. De esta manera, nuestro cuerpo es nutrido por la respiración. La respiración diafragmática también es esencial para el funcionamiento óptimo de los sistemas corporales. Así pues, podemos ver que al permitirnos respirar profundamente con el diafragma nos nutrimos de muchas maneras.

Un comienzo excelente para llegar al alivio natural del dolor es practicar la respiración diafragmática todos los días.

PRÁCTICA DE RESPIRACIÓN

1. *Acuéstate en el piso o en tu cama con una almohada delgada en la cabeza, y si te es cómodo, otra bajo tus rodillas. Esta almohada es particularmente útil si tienes problemas de*

espalda. Asegúrate de que tu ropa esté holgada, especialmente en el área del tórax, la cintura y el abdomen. Pasa algunos momentos permitiendo que tu cuerpo se suavice y se relaje en la superficie sobre la que estás acostado.

2. Hazte consciente de tu respiración y simplemente obsérvala durante unos momentos a medida que tu respiración entra y sale. Respira por la nariz, ya que esto filtra y calienta el aire. Respira lentamente y pon atención al movimiento de tu tórax y tu abdomen. No hagas nada, simplemente observa tu respiración. Quizá notes que tus costillas se mueven a los lados y sientas que tu espalda pega con el piso o la cama a medida que se expande.

3. Pon tus manos en la parte inferior de las costillas y notarás cómo entra y sale tu respiración. Cuando inhalas, esta parte se levanta, y cuando exhalas, cae. Ninguna otra parte de tu cuerpo necesita moverse, así que verifica que la parte superior de tus hombros y tu pecho estén quietos.

4. Sigue observando esta respiración diafragmática profunda tanto tiempo como quieras, por lo menos durante cinco minutos. Asegúrate de no forzar de ninguna manera tu mecanismo de respiración; este es un proceso que ocurre de manera gradual y natural. Cada vez te relajarás más, lo cual permitirá que los procesos cor-

porales funcionen normal y fluidamente; las endorfinas correrán por tu cuerpo y el proceso de curación mejorará.

Practica este ejercicio tan frecuentemente como quieras todos los días, quizá tres o cuatro veces al día. Una vez que hayas practicado estar acostado de esta manera, practica los pasos 2, 3 y 4 cuando estés sentado o de pie. Cuando estés sentado, asegúrate de mantener una posición erguida. Si te agachas no hay lugar para que se expandan tu tórax y diafragma. La respiración diafragmática se convertirá pronto en tu manera natural de respirar durante la mayor parte del día. Una vez que se haya establecido el patrón de respiración quizá te gustaría continuar con esta práctica, pues resulta muy relajante y placentera. Tal vez descubras que esta práctica de respiración es tan efectiva que la quieras utilizar como tu forma principal de relajación.

MÉTODO BÁSICO DE RELAJACIÓN: EL "ESCANEO CORPORAL"

La relajación es el centro del alivio natural del dolor. El siguiente "escaneo corporal" proporciona una excelente práctica básica de relajación. Utilízala una o dos veces al día para tener paz, tranquilidad y comodidad corporal y mental. Con el "escaneo corporal" puedes estar más en contacto con tu cuerpo de manera más profunda y cariñosa.

Cuando utilizas el "escaneo corporal" puedes estar sentado o acostado, siempre y cuando estés cómodo, y luego deja que tu mente examine todo tu cuerpo pasando un minuto más o menos con cada parte de tu cuerpo. Siente y "percibe" cada parte de tu cuerpo a detalle permitiendo que se distienda, se relaje y se hunda en la superficie sobre la que está tu cuerpo, dejando que cualquier tensión se vaya de ti. Sentirás cómo la relajación forma olas mientras tus músculos se sueltan y se alargan. No tienes que hacer nada, sólo deja que ocurra. Cada exhalación se lleva la tensión y limpia tu cuerpo; por su parte, cada inhalación trae la paz y renueva la salud y el vigor, y tu proceso natural de curación está en camino.

A medida que hagas el "escaneo corporal" descubrirás que cada vez te sientes más pesado y sientes más calor, o quizá te sientas muy ligero y tibio, como si estuvieras flotando. Cuando termines la sesión, sentirás como si tu cuerpo se hubiera derretido. Sólo estarás consciente de tu respiración, que se volverá más ligera y se realizará sin esfuerzo, como si tu cuerpo no existiera. Es una sensación maravillosa que trae paz, quietud y libertad del dolor. Los sentimientos de paz y tranquilidad pueden permanecer contigo durante algún tiempo.

A mí me gusta hacer el "escaneo corporal" acostado boca arriba en el piso, poniendo la cabeza sobre algunos libros de pasta flexible con un cojín para que pueda tener algún apoyo. Doblo las rodillas como si señalaran al techo, y separo un poco los pies apoyados totalmente en el piso. Coloco las manos en el abdomen, sin que se toquen entre sí. Puedes acostarte en la cama si te es más fácil que en el piso, con las piernas y los brazos estirados si lo prefieres. Si prefieres estar sentado, asegúrate que estés muy cómodo, con tus brazos, espalda y cabeza bien apoyados y las manos separadas sin tocarse, con las piernas separadas y los pies en el piso.

Cómo practicar el "escaneo corporal"

Quizá quieras grabar las siguientes instrucciones o pedirle a alguien que te las lea lentamente, dejando muchas pausas, especialmente donde están los puntos suspensivos que indican que hay que hacer una pausa.

1. *Encuentra un lugar tranquilo, quítate los zapatos, suelta cualquier prenda apretada. Acuéstate en una posición cómoda y cúbrete bien. Asegúrate que no te interrumpan durante más o menos 20 minutos.*

   Hazte consciente de tu respiración y durante algunos momentos pon atención a tu pecho y abdomen que suben y bajan mientras inhalas y exhalas... Cierra los ojos si lo deseas.

   En la siguiente respiración, la inhalación se dará de manera natural, exhala por la boca con un ligero suspiro, esbozando una sonrisa en tu rostro. La sonrisa te ayudará a relajar todo el rostro. El suspiro va a permitir que tu respiración se vuelva más profunda y más efectiva... Inhala por la nariz.

En la siguiente exhalación imagínate que el suspiro va desde la parte superior de tu cabeza hasta las plantas de los pies... Siente el alivio a medida que sueltas el aire y dejas que toda la tensión se vaya...

Todo tu cuerpo se siente más cómodo y en calma... Siente cómo se hunde en la superficie sobre la que estás acostado...

2. *A medida que te desplazas con tu mente por tu cuerpo, aparta un tiempo para estar con cada parte de él para obtener el beneficio completo de la atención y para permitir que los músculos se relajen, digamos durante tres respiraciones, para cada parte del cuerpo.*

   Comienza por hacerte consciente de que tu cabeza descansa en la superficie sobre la que estás acostado y permite que tu cuello se relaje y esté libre. El cuello es un área especialmente importante que hay que mantener libre y relajada. Es más bien como una puerta; si la abrimos permitimos que la relajación salga del cuello hacia todo nuestro cuerpo. Viaja lentamente con tu mente por tu cabeza, dejando que se hunda en la superficie donde está descansando...

Mueve tu conciencia hacia tu rostro y siente cómo tu frente se ensancha y se relaja mientras llevas tu atención a ella... Nota cómo se van soltando los músculos...

Lleva tu atención a los ojos. Deja que se reblandezcan y se relajen... Permite que todos los músculos alrededor de la boca se relajen... Esboza una sonrisa... Tu mandíbula se está relajando... Incluso tus dientes y encías se están relajando... Descansa la lengua en la parte inferior de la boca...

Regresa al cuello y deja que se relaje un poco más... El frente, los lados, y la parte posterior...

3. *Sigue haciendo esto en otras partes del cuerpo, dejando que cada parte se suavice y se suelte, y pasa tres ciclos de respiración en cada área. Viaja lentamente del cuello hacia abajo por la espalda... Pasa tiempo con la espalda baja... Regresa al cuello y relaja de nuevo esa área... Luego ve a los hombros y baja por los brazos... por las manos... Hasta la punta de los dedos... Continúa con la pelvis y el abdomen... Baja por ambas piernas. Pasa algunos momentos en los muslos, en las rodillas... en las pantorrillas... en los tobillos... Y finalmente ve a los pies y a los dedos de los pies... Permite que cada parte se relaje, se suelte y libere la tensión... De vez en cuando quizá tu mente empiece a vagar; si es así, regresa tu atención a tu respiración durante*

algunos minutos y luego continúa con el "escaneo corporal".

4. *Completa la relajación regresando al cuello, cabeza y rostro. El cuello está blando y libre... Tu cabeza se siente pesada y relajada... Tu frente se siente fresca... tan suave como la seda... y tus ojos están blandos y relajados... Todos los músculos de alrededor de los ojos se están soltando... Tus mejillas están relajadas... Tu mandíbula está relajada... Tus dientes están ligeramente separados... Los labios apenas se tocan... y la lengua descansa suavemente en la parte inferior de la boca. Todo tu rostro está relajado, sereno y tranquilo...*
5. *Has llevado la relajación tranquilizante a todo tu cuerpo... Ahora quizá te sientas muy pesado y con un calor que recorre todo tu cuerpo. O tal vez te sientas muy ligero, como si tu cuerpo estuviera flotando y no pesara. Tu cuerpo está en paz y tu mente se ha lentificado... Deja que tus pensamientos pasen sin involucrarte con ellos... Simplemente obsérvalos a cada momento a medida que surgen y desaparecen de nuevo... No tienen nada que ver contigo, tú eres el vigilante, observador de los pensamientos solamente... Si descubres que te enganchas en seguir tus pensamientos, regresa tu atención a la respiración... Sigue en este estado tanto tiempo como puedas, disfrutando la sensación de dejarte llevar totalmente.*

6. *Para terminar la sesión, cuando estés listo, hazte consciente del lugar donde estás y estira los brazos y las piernas... Llévate contigo los sentimientos de tranquilidad y paz a medida que comienzas a moverte suavemente... Ten en mente que puedes recuperar estos sentimientos en cualquier momento... La paz y la relajación siempre están ahí para ti.*

Formas para prolongar la relajación

Prueba una de las siguientes ideas si quieres.

1. *Lleva la respiración, la relajación y el calor a cualquier parte de tu cuerpo que necesite una atención especial. Siente como si tu respiración entrara y saliera de esa área, como si hubiera un lugar por el que respirar ahí. Imagínate que estás inhalando calor, relajación y curación por esa parte que necesita curación. Imagínate que el área se reblandece, se tranquiliza y se relaja. Sigue inhalando y exhalando de esta forma tanto tiempo como quieras, y termina la sesión como en el "examen corporal" ya descrito.*

2. *Di para tus adentros, en tu cabeza, una o dos palabras para reforzar la relajación en tu mente, como "paz" o "aquiétate" o "relájate" durante la inhalación... "libérate"... durante la exhalación... Sigue inhalando y exhalando suavemente utili-*

zando las palabras de cada inhalación y exhalación tanto tiempo como quieras, y completa la sesión como en el "examen corporal" anterior.

Practica la relajación

Para obtener resultados muy favorables practica el "escaneo corporal" y la relajación una, o de preferencia, dos veces al día durante por lo menos un mes. Después puedes alternar el "escaneo corporal" con cualquier método o meditación de relajación si lo deseas. Para lograr esta práctica diaria necesitas prometerte que vas a apartar veinte minutos más o menos, y así tener tiempo para relajarte. Tal vez pueda parecer fácil, ¡pero es sorprendente cuántas excusas podemos encontrar para no darnos tiempo! No subestimes la habilidad de tu mente de sabotear tus buenas intenciones aunque sepas en tu interior que te van a beneficiar. Sé firme contigo mismo y convierte en una prioridad el acudir siempre a tu cita de relajación.

Cuando comienzas a "soltarte" al principio del proceso de relajación, a medida que tu cuerpo se adapte, puedes percibir un brinco en tu cuerpo o en los párpados. Pronto pasará si lo ignoras. A medida que te relajes, quizá alguna vez notes que te haces más consciente de tus pensamientos y tus sentimientos, quizá sentimientos de tristeza respecto al dolor. De nuevo, debes estar feliz por la oportunidad de liberar esta negatividad, porque, una vez que se le permite salir a la superficie, te liberas de ella. Continúa en silencio con el "escaneo corporal" o con la respiración diafragmática y pronto llegarás a una relajación profunda en la que los pensamientos y los sentimientos se aquietan.

Pronto descubrirás un beneficio tal en el "escaneo corporal" que vas a esperar con emoción tu sesión y harás los ejercicios, pues aliviarán el dolor y te harán sentir muy bien. En esta época me aseguro de hacer mi "escaneo corporal" porque sé el valor de estar en contacto conmigo con este ejercicio.

Es muy bueno utilizar el "escaneo corporal" en la noche antes de ir a dormir para ayudarte a tener un sueño tranquilo y en paz, o para esos momentos en los que te despiertas y no puedes volverte a dormir. Haz el "escaneo corporal" y seguro te dormirás antes de completarlo.

Si vives en una casa ruidosa, dile a tu familia y a tus amigos que necesitas apartar 20 minutos más o menos durante el día en los que no te interrumpan. Explícales que es parte de un nuevo programa que te va a ayudar a controlar el dolor, y lo van a entender y a valorar cuando comiencen a ver los resultados benéficos.

Entrenarte para utilizar la respiración diafragmática y el "escaneo corporal" te proporciona los medios para relajarte sin tener que usar una grabadora o una cinta de relajación, que, aunque es muy útil, puede resultar inconveniente sobre todo en la noche si tenemos compañía, o cuando no estamos en casa.

MINI-RELAJADORES

Además de utilizar una relajación completa todos los días, es muy útil tener mini-relajaciones durante el día. Podrás conservar el beneficio de la relajación completa si aprendes a percibir la acumulación de tensión y si sabes cómo liberarla. Puedes utilizar el conocimiento que tienes acerca de la respiración y la relajación de varias maneras que sólo te toman un minuto más o menos.

Los "mini-relajadores" son adecuados en cualquier situación o en cualquier momento del día, ya sea que estés solo o acompañado, en el auto, en una fila de espera, en un salón lleno de gente. Lo puedes hacer sin que nadie lo note. Imagínate, tener tu reductor de dolor portátil... gratis y siempre disponible.

Lee de principio a fin los mini-relajadores y experiméntalos. Mediante la práctica y la experiencia es que se obtiene el beneficio. Las técnicas son rápidas y efectivas, así que puedes utilizar cualquiera con frecuencia durante el día. Cuando tomes estos breves descansos de relajación te sentirás más en contacto con tu ser real y saldrás renovado y con más energía.

El localizador de tensión

Este es un método para localizar y liberar la tensión en el cuerpo.

Deja de hacer lo que estás haciendo y aquiétate. Incluso puedes decirlo para tus adentros, suave pero firmemente, en silencio o en voz alta; esto sorprenderá a tu mente y dejará un espacio libre por un momento, lo cual te permitirá cambiar lo que estás haciendo. Esto es especialmente útil si percibes pensamientos negativos que te dan vueltas en la cabeza o si notas que el dolor se acumula en tu cuerpo.

Cuando hayas dejado de hacer lo que estabas haciendo examina tu cuerpo con la mente para ver si puedes localizar la tensión en algún lugar. Examina tus pies, piernas, espalda, hombros, brazos, manos, cuello y rostro. Quizá descubras que simplemente con poner atención en, digamos, tus hombros, los músculos empiezan a soltarse y liberarse. Esto ocurrirá sin mover la parte en la que tienes la tensión, simplemente al pensar en ella. Cada una de las áreas se reblandece y se libera mientras te desplazas con la mente por tu cuerpo. Finalmente relaja los labios, apenas deben tocarse, y deja que tu lengua descanse en la parte inferior de la boca.

Si tienes dificultades para percibir la tensión, puede serte útil tensar primero el área, sentir los músculos contraídos y luego soltarla. Trata de ver si te ayuda.

Después del "localizador de tensión" continúa con el "reductor portátil de dolor" o utilízalos por separado.

Reductor portátil de dolor

Concentra tu mente en la respiración; no hagas nada, no trates de alterarla, simplemente sigue la respiración mientras entra por la nariz y baja a los pulmones; sigue el subir y bajar de la parte inferior de las costillas y de tu abdomen; sigue la respiración cuando sale por la nariz. Concéntrate más en la exhalación. Ve si puedes sonreír ligeramente cuando exhalas. Cierra los ojos durante algunos momentos si lo deseas. Nota cómo tu respiración se lentifica y se hace más profunda.

Repite esto durante cuatro o cinco respiraciones. Utiliza este breve ejercicio de respiración diafragmática en cualquier momento del día o de la noche cuando notes que tu cuerpo necesita cuidados extras.

Si tienes tiempo, continúa mientras dices para tus adentros en silencio:

"Me permito relajarme".

"Mis pies están pesados, se están hundiendo en el piso". "Mis hombros están relajados y se sienten pesados, se están yendo para abajo".

"Estoy en paz" (inhala) "Y tranquilo..." (exhala).

Repite cada frase tres veces si tienes tiempo. A

lo mejor descubres que una de estas frases es la más efectiva para ti y es tu favorita. Si es así, sólo usa esa frase. Como siempre, adapta todo a tus necesidades.

El mini-relajador te permitirá estar más tranquilo, reducir cualquier dolor y te permitirá continuar tus actividades con una energía renovada. Utilízalo tan pronto como percibas que el dolor aumenta; te va a ayudar a detener la acumulación. Entre más experiencia adquieras vas a poder percibir más las necesidades de tu cuerpo y sabrás cuándo detenerte para hacer un mini-relajador.

RECUERDA RECORDAR

Aunque los mini-relajadores son fáciles de hacer, lo difícil es acordarnos de hacerlos. Puedes probar algunas de estas ideas hasta que te acostumbres a hacer un alto con regularidad durante el día para brindarte algo de cuidados y atención.

- *Deja recaditos en tu casa, en tu coche o en tu oficina.*
- *Pon la alarma del reloj para que te dé la hora cada hora o cada media hora.*
- *Pega círculos de papel en lugares estratégicos de tu casa, donde no estorben; éstos significarán "relájate" para ti.*

- *Pon objetos especiales en tu casa o en tu ambiente de trabajo que signifiquen "relájate"; por ejemplo, un florero, un adorno o incluso tu reloj de pulso. Cuando tus ojos se posen en él haz un alto y relájate.*

Los poderes naturales de curación que liberas cuando utilizas las técnicas de relajación de este capítulo son la clave para un alivio efectivo del dolor; practica, practica y practica más hasta que puedas recuperar el bienestar y la tranquilidad a voluntad. Recuerda siempre que este poder interno natural siempre ha estado ahí para ti, y siempre lo estará. Ahora ya sabes cómo liberarlo y usarlo.

LINEAMIENTOS DE ACCIÓN

1. Dile a tus amigos y a tu familia que tienes la necesidad de apartar algún tiempo de silencio diariamente que te ayudará a controlar el dolor.
2. Comienza con la práctica diafragmática; ésta es la base de toda la relajación y el alivio natural del dolor. Practica unas cuantas veces al día durante por lo menos un mes y luego una o dos veces a la semana como recordatorio.
3. Después de algunos días de comenzar el ejercicio de respiración, introduce el "examen corporal de relajación". Hazte tiempo para llevar

a cabo una, preferentemente dos sesiones de un minuto todos los días. Recuerda, tú tienes que hacerte el tiempo. Prométete que, no importa lo que pase, vas a llevar a cabo estas sesiones. Estos son momentos sólo para ti y resultan de importancia vital.

4. Tómate unos minutos de vez en cuando durante el día para dejar de hacer lo que estás haciendo, creas o no necesitarlos, especialmente si estás muy ocupado o si tienes un ataque de dolor. Utiliza el tiempo para hacer un mini-relajador.

5. Trata simplemente de ver las nubes, escuchar música, observar las flores o una bella pintura: haz cualquier cosa que te permita "soltarte" y dar un paso atrás durante periodos cortos a lo largo del día. Te vas a refrescar y podrás avanzar en el día con más facilidad.

6. Haz una colección de cintas o música de relajación que venden en tiendas especializadas, en compañías que mandan los artículos por correo, o los grupos de autoayuda. Ve la sección de direcciones que se encuentra al final de este libro para enterarte de los detalles sobre cómo obtener mis cintas de relajación que complementan el trabajo de este capítulo.

7. Practica, practica, practica.

UNIDAD 2

¿Qué te estás diciendo a ti mismo?

ÍNDICE

Cómo afectan los pensamientos a tus emociones y tu cuerpo 42
Pon a prueba tus pensamientos y sentimientos 42
Pon a prueba tus músculos 44
Cómo construir una actitud positiva 46
El pensador que está en tu mente 47
Detente y cambia: cómo parar la plática interna negativa 51
Ejemplos de afirmaciones para la técnica "Detente y cambia" 52
Más acerca de las afirmaciones 56
Cómo hacer afirmaciones efectivas 58
Ideas para utilizar las afirmaciones 61
Lineamientos de acción 63

La vida es moldeada por la mente.
Nos convertimos en lo que pensamos.

Buda

Todos conocemos los beneficios del pensamiento positivo y de tener una actitud positiva hacia la vida. Una actitud positiva influye en cómo nos sentimos; nos sentimos confiados, con entusiasmo, felices, alegres y en control de nuestra vida. Tiene una importancia especial para ti y para mí porque se ha comprobado que nuestros pensamientos afectan directamente el funcionamiento de nuestro cuerpo: nuestros pensamientos se traducen de forma inmediata en una realidad física o emocional. No tardan en entrar los pensamientos a nuestra mente cuando ya ocurren cambios en nuestro cuerpo o emociones; es un instante, como el tiempo que uno se tarda en encender una luz. Piensa en lo maravilloso de este conocimiento. Significa que podemos ejercer influencia sobre nuestro cuerpo y emociones y que podemos contribuir positivamente a nuestra curación y a la reducción del dolor.

Todos poseemos una enorme fuerza sanadora en nuestro cuerpo. Nuestro cuerpo tiene un mecanismo natural de autocorrección y curación que lucha continuamente por sanar y curar cualquier parte dañada. Todas las células de nuestro cuerpo hacen su mejor esfuerzo tanto para curarnos como para disminuir nuestros niveles de dolor mediante la producción de endorfinas, que son nuestro analgésico natural. Si tenemos una actitud positiva, pueden llevar a cabo su trabajo aún mejor.

CÓMO AFECTAN LOS PENSAMIENTOS A TUS EMOCIONES Y A TU CUERPO

Cuando realices los siguientes dos experimentos comprobarás por ti mismo que tus pensamientos, tus emociones y tu cuerpo están íntimamente relacionados. En primer lugar, prueba cómo tus pensamientos pueden cambiar tu estado emocional.

PON A PRUEBA TUS PENSAMIENTOS Y SENTIMIENTOS

Tus emociones son el producto de tus pensamientos. Cómo te sientes en este momento es el resultado de tus pensamientos previos. Para ilustrar cómo funciona esto, tómate unos instantes para realizar el siguiente experimento. Haz esta investigación, es muy iluminadora.

Parte 1

1. *Tómate unos momentos para observar cómo te sientes en este instante. ¿Qué estás pensando? ¿Qué estás sintiendo? ¿Cómo se siente tu cuerpo?*
2. *Ahora bien, sólo para hacer este experimento, piensa unos momentos en tu dolor y en la manera en la que te ha limitado en la vida.*
3. *Observa cómo te sientes ahora. ¿Qué estás pensando? ¿Qué estás sintiendo? ¿Cómo se siente tu cuerpo?*
4. *Pon tu mente en blanco, libre de esta negatividad e imagina que esos pensamientos y sentimientos son como hojas de árbol que están en el suelo. Tienes una escoba y las barres vigorosamente lejos de ti.*

   Sigue inmediatamente con la parte 2.

Parte 2

5. *Lleva tu mente de regreso a un momento o situación en la que estuviste feliz, o recuerda algo que te parezca gracioso, de lo que recuerdes haberte reído. Cierra los ojos si eso te ayuda a obtener una imagen clara. Haz que el recuerdo sea lo más nítido y brillante posible; ve si puedes recordar colores, sonidos, cómo estabas vestido*

y lo que estaban haciendo otras personas. Revive el momento. Pasa un tiempo corto pensando en ese momento.

6. *Observa cómo te sientes ahora. ¿Qué estás pensando? ¿Cómo te estás sintiendo? ¿Cómo se siente tu cuerpo?*

A partir de este experimento puedes ver cómo diferentes pensamientos producen sentimientos diferentes. Los pensamientos positivos produjeron sentimientos de felicidad y placer; incluso tal vez te descubriste sonriendo mientras recordabas ese momento.

PON A PRUEBA TUS MÚSCULOS

Ahora bien, haz este ejercicio muscular. Te mostrará de una manera muy vívida lo íntimamente relacionados que están los pensamientos y el cuerpo físico. Igual que en el otro ejercicio, éste también necesita ser experimentado, así que tómate unos instantes para este extraordinario experimento.

1. *Para este experimento necesitarás una hoja de papel; una hoja de cuaderno servirá muy bien. Utiliza tu mano dominante, esto es, la mano con la que escribes. Sostén la hoja de papel firmemente entre tu pulgar y el dedo medio. Ahora, toma el otro extremo con el dedo índice y el pulgar de la otra mano. Prueba la fuerza de tu*

apretón tratando de quitar la hoja de papel de tu pulgar y dedo medio. Verás que es algo muy difícil de hacer. (Por favor, no exageres la presión sobre el papel ya que eso puede provocar que se lastime tu dedo medio).

2. Enseguida, y sólo para este experimento, introduce a tu mente de forma deliberada pensamientos negativos. Sostén el papel como en el caso anterior, entre el pulgar y el dedo medio, y repite para ti mismo que eres una persona débil e impotente, una víctima del dolor. Ahora trata de jalar el papel otra vez con el pulgar y el índice de la otra mano. Verás que el papel se desliza muy fácilmente. Tus músculos se habrán vuelto inmediatamente más débiles debido a tus pensamientos negativos. Ahora, muy rápidamente, para quitarte los pensamientos negativos, sóplale a todos los pensamientos, como si estuvieras soplando las semillas de la cabeza esponjada de una planta de diente de león. Ve cómo los pensamientos flotan indefensos y se van como un papalote. Al mismo tiempo, agita las manos para quitarles cualquier vibración no deseada.

3. Finalmente, vuelve a tomar el papel de la misma forma y esta vez ten muchos pensamientos positivos. Alábate y repite lo maravilloso que eres, que eres fuerte e invencible y que tienes el control de tu vida. Ahora trata de jalar el papel. Verás

que esta vez tus músculos están llenos de fuerza y el papel no será quitado fácilmente. Los pensamientos positivos le han dado una fuerza instantánea a tu cuerpo.

CÓMO CONSTRUIR UNA ACTITUD POSITIVA

Estos dos experimentos te han dado una idea de cómo el poder de los pensamientos afecta tanto a nuestro cuerpo como a nuestros sentimientos. ¡Imagina la curación que podría darse si tuviéramos pensamientos correctos! Sí, podemos impulsar nuestra propia curación y todas las células de nuestro cuerpo funcionarían de una manera más eficiente y producirían esas maravillosas endorfinas analgésicas para nosotros.

Sé que con frecuencia se nos dice que seamos "positivos" y entiendo cómo te sientes cuando escuchas esta expresión cuando sientes dolor. Tal vez estés cansado de que te digan "sé positivo" y tal vez pienses "es fácil para ellos decirlo porque 'ellos' no están sufriendo este dolor", o "Cualquier persona que tuviera este dolor estaría harta". Este tipo de actitudes negativas siempre son fáciles de justificar diciendo que simplemente estamos siendo "realistas" con respecto a nuestra situación. Sin embargo, no es la situación misma la que hace que tengamos estos y otros pensamientos negativos. Ninguna situación es "mala" en sí misma.

Es nuestra actitud hacia la situación y la interpretación que hacemos de ella lo que es importante. *Tal vez no podamos cambiar la situación, pero podemos cambiar la forma en como la vemos*. Tal vez no podamos hacer desaparecer el dolor, pero podemos cambiar la forma en como nos sentimos. Podemos aprender a ser amigos de la parte de nuestro cuerpo que nos está molestando, respetarla y ser pacientes con ella. Podemos aprender cómo ayudar a que trabaje de una manera más eficiente no forzándola a hacer lo que le es más difícil. Podemos aprender a relajarnos, a bajar el ritmo de nuestras actividades y a tomar ventaja de las muchas otras formas maravillosas en las que podemos utilizar nuestros poderes naturales para ayudarnos. Podemos aprender a tener pensamientos positivos y confortantes. Podemos crecer para aprender que somos más que nuestro dolor y que hay partes profundas en nosotros que pueden estar contentas y felices a pesar de nuestras dificultades físicas. Ser personas positivas significa *centrarnos* en los aspectos positivos de la vida y en lo que podemos hacer para ayudarnos a nosotros mismos. *Recuerda: los pensamientos positivos no son un lujo; son esenciales para nuestro bienestar.*

EL PENSADOR QUE ESTÁ EN TU MENTE

Esta nueva actitud positiva suena como un camino arduo que andar para cambiar pero, de hecho, es algo muy sencillo. Tu actitud, y esto incluye tu actitud hacia el dolor, proviene de los pensamientos que tienes. Por supuesto, tener una actitud positiva no significa que jamás tengas pensamientos de enojo, de miedo o de desaprobación en tu mente. Es perfectamente normal y aceptable que tengas toda clase de pensamientos.

Sin embargo, no le conviene a tu actitud hacia la vida y hacia el dolor que constantemente permitas que pensamientos infelices dominen tu mente. Recuerda, el pensamiento precede a la emoción. La interpretación que haces de la vida y del dolor es lo que provoca que tengas una actitud de desánimo o una actitud de apoyo.

Como pudiste ver en los experimentos, tus pensamientos ejercen influencia sobre tu estado emocional y físico. Como descubriste, si cambias el pensamiento cambias el sentimiento; cambias el pensamiento y cambias la forma en la que funciona tu cuerpo. Así de sencillo. Si cambias tus pensamientos puedes cambiar tu actitud. Y, en efecto, tú *puedes* cambiar tus pensamientos; puedes detener un pensamiento negativo y reemplazarlo deliberadamente por uno que mejore tu vida. Aunque no siempre te des cuenta de ello, no tienes que pasar tiempo albergando pensamientos de limitación a través de tu mente. De hecho, tienes el poder de elegir la forma en la que manejas tus pensamientos.

Al entender que eres el Pensador de tu mente, la sabiduría interna que está detrás de los pensamientos, puedes aceptar el poder de creer que puedes cambiar tu actitud. Sin importar qué tanto tiempo hayas pensado de una cierta forma, *nunca* será demasiado tarde para cambiar a una nueva forma. Siempre tienes la libertad de escoger tus pensamientos.

Para entender este poder, imagina que por unos instantes tus pensamientos, como si surgieran de tu mente momento a momento, fueran como los nombres de los distintos platillos del menú de un restaurante. Cuando escoges tu comida te das cuenta que no tienes que comerte *todos* los platillos que se ofrecen y que *eliges* del menú lo que más te apetece. Puedes ver todo el menú y luego vas descartando o ignorando aquellas opciones que no te gustan o que no quieres y luego escoges las que *sí* quieres. No tenemos que escoger el curry si lo que queremos es la ensalada.

Sucede algo parecido con los pensamientos. Sólo porque tengas un pensamiento no significa que sea importante, que tengas que ponerle atención o concentrarte en él. Puedes escoger entre seguir un pensamiento o dejar que se aleje de ti.

Sí, puedes elegir no permanecer con pensamientos negativos. Mientras estás leyendo este libro están pasando muchos pensamientos por tu mente. Aunque por lo regular no nos damos cuenta de ello, todo el tiempo nuestra mente produce una gran variedad de pensamientos. Tus pensamientos pueden ir, por ejemplo, desde pensamientos acerca de qué vas a hacer de cenar, qué vas a hacer después, que es el cumpleaños de alguien la próxima semana, cómo se siente tu gato cuando lo acaricias y se te restriega en la ropa, hasta pensamientos de preocupación: preocupación por el dolor o tal vez pensamientos que tengan que ver con tus dudas de si las ideas de este libro realmente van a ayudarte. Todos estos y otros pensamientos son perfectamente naturales y normales para todos nosotros.

Puedes notar que algunos de los pensamientos de todo este parloteo mental son positivos, otros son neutrales y algunos otros son negativos. Lo que necesitas ver es que ninguno de ellos es "malo": simplemente son pensamientos. Que tengas una actitud positiva no significa que nunca tengas pensamientos negativos. Significa que es tu responsabilidad qué *haces* con ellos.

A medida que los pensamientos, cualesquiera que éstos sean, vengan a tu mente (esto es, a la atención del Pensador) puedes observar que la mayor parte de las veces les prestas poca atención y los despachas incluso antes de haberlos revisado. Por ejemplo, no necesariamente te la pasas repasando los pensamientos de la cena o del cumpleaños de tu amigo; tu atención pronto se va a otro pensamiento o interés. Puedes hacer lo mismo con cualquier pensamiento negativo. Puedes aprender a dejar que este tipo de pensamiento fluya a través de tu mente sin que te afecte. Puedes aprender a rehusarte a ponerle atención a los pensamientos negativos y obstaculizadores, escogiendo en vez de ello concentrar tu mente en pensamientos más constructivos y elevados.

Esto requiere práctica, así que tal vez quieras considerarte "en entrenamiento" durante un tiempo hasta que concentrarte en un diálogo interno útil y confortante se vuelva como tu segunda naturaleza. No estamos hablando de suprimir los pensamientos y sentimientos sino de reconocerlos y luego cambiarlos a pensamientos más elevados y productivos. Para tener éxito, necesitas comenzar a *escuchar* tu pensamiento. Cuando te des cuenta de que estás pensando negativamente, ten una actitud de comprensión y compasión hacia ti mismo. Deja ir esos pensamientos negativos y restrictivos que incluyen palabras como "debería", "debo", "siempre" o "nunca"; son limitantes y siempre son una "humillación" hacia ti o hacia alguien más. Incluso puedes comenzar a decirte a ti mismo: "No tengo necesidad de estos pensamientos". Deja que los pensamientos pasen y luego muévete rápidamente a pensamientos más positivos. Todos, absolutamente todos los momentos de nuestra vida son puntos cruciales para nosotros. O nos vamos con un pensamiento, o lo cambiamos: la elección es nuestra. Podemos escoger tener pensamientos que sean confortantes, realistas y que nos llenen de ánimo.

DETENTE Y CAMBIA: CÓMO PARAR LA PLÁTICA INTERNA NEGATIVA

Existe un sistema muy sencillo que te ayuda a cambiar los pensamientos negativos persistentes, lo cual es *sumamente importante* en tu viaje hacia el alivio natural del dolor. Cuando descubras que en tu mente hay pensamientos de preocupación o desánimo y que estás escuchando y prestándole atención a tu voz interna negativa, puedes intervenir de la siguiente manera.

> *Repite dentro de tu cabeza con una voz firme y convincente,*
>
> *"¡Alto!"*
>
> *Puedes utilizar otras palabras que sean realmente efectivas para ti, como "¡Basta!, o "¡Ya basta!" Dilas o grítalas muy fuerte dentro de tu cabeza. Vas a descubrir que se forma un silencio asombroso en tu mente. Literalmente habrás dejado en shock a tus pensamientos y se detendrán durante un momento. Esta voz negativa no está acostumbrada a que se le den órdenes: ¡por lo general reina libremente! Ahora tienes que mostrarle que tú eres quien está a cargo. No le des oportunidad a que se recupere, CAMBIA esa vieja plática negativa en una voz de apoyo y positiva. Llena el silencio inmediatamente con pensamientos más constructivos.*

Ejemplos de afirmaciones para la técnica "Detente y cambia"

Escoge tres o cuatro de las siguientes afirmaciones poderosas y confortantes y tenlas a la mano para contrarrestar esa voz negativa. Escoge afirmaciones que sean significativas para ti y que hagan resonancia en ti o, mejor aún, haz tus propias afirmaciones. Apréndete de memoria estos pensamientos o afirmaciones de reemplazo, como se les llama comúnmente, para que siempre los tengas listos.

"Lo estoy haciendo muy bien".

"Lo estoy manejando bien".

"Me amo y me apruebo".

"Me concentraré en lo que puedo hacer".

"Puedo manejar esto".

"Me es fácil... (relajarme, calmarme, caminar, sentarme confortablemente, etc.)

"Tranquilo, esto pasará". (Una maravillosa afirmación cuando surge el dolor).

"Estoy tranquilo y confiado".

"Yo soy el poder y la autoridad en mi vida".

"Yo tengo el poder y la autoridad en mi vida para dejar ir el pasado y aceptar el bien en el momento presente".

"Me concentro en lo que puedo hacer".

"Soy paciente conmigo y con los demás".

"Respeto mi cuerpo".

"Soy fuerte y mi cuerpo se está curando a sí mismo".

"Yo estoy lleno de poder curativo".

"Merezco estar sano".

"Hoy es un buen día. Hoy es mi día".

Si brotan más pensamientos negativos cuando empieces a decir mentalmente "¡alto!", diles que se detengan una vez más con afirmaciones positivas. No dejes que tus buenas intenciones sean saboteadas, ahora ya sabes como no escuchar esa voz que te desanima. Sé persistente y sigue reemplazando pensamientos negativos inútiles con pensamientos de apoyo hasta que tengas la confianza de que has cambiado una vez más tu voz interna hacia un modo positivo. Recuerda que *tú* estás a cargo, que tu mente sólo está produciendo pensamientos para que los manejes como tú quieras y que no tienes por qué escucharlos o ser influenciado por ellos. Es *tu* elección. Puedes escoger no seguir los pensamientos negativos, y, en lugar de eso, seguir aquellos pensamientos que tú prefieras. El verdadero poder yace no en tus pensamientos, pues puedes controlarlos. El poder yace en Ti, en tu Yo Interno sabio, en el Pensador que está detrás de los pensamientos.

Escribe tus afirmaciones positivas como referencia. Repite una y otra vez las frases que hayas escogido hasta que te sientas de nuevo con una actitud más positiva. Prepárate para cambiar tus afirmaciones según cambien tus necesidades y situaciones.

Es importante que te des cuenta que no tienes que *creer* las frases positivas inicialmente. Al decir tus afirmaciones en un tono de voz convincente, ya sea en voz alta o dentro de tu cabeza, engañas a tu mente subconsciente para que las absorba. Tu mente subconsciente no juzga y siempre adopta los mensajes que recibe, ya sean mensajes verdaderos o falsos, negativos o positivos. Esta buena noticia significa que puedes alimentar tu mente subconsciente con los mensajes más elevadores y constructivos posibles. Serán absorbidos, pasarán y tu cuerpo y tus sentimientos responderán en consecuencia.

La técnica "Detente y cambia" es esencial para obtener y retener una actitud positiva. Es fácil, sencilla y efectiva; la única parte que tienes que trabajar es *recordar* hacerlo. Con la práctica, poco a poco tendrás más y más éxito en observar lo que estás pensando. En resumen, una forma fácil de recordar esta técnica es recordar DETENERTE Y CAMBIAR (DETENER los pensamientos negativos y CAMBIAR a pensamientos positivos).

MÁS ACERCA DE LAS AFIRMACIONES

Tener una voz interna positiva lista para la acción con afirmaciones positivas es crucial para tu éxito en la técnica "Detente y cambia". Tu meta es adiestrar a tu mente para que produzca más pensamientos positivos de forma automática. Puedes considerar al proceso de alimentar tu mente subconsciente con afirmaciones positivas como si tu mente fuera una computadora y tú fueras el programador. Todo el tiempo estamos alimentando nuestra "computadora mental" con información y así lo hemos hecho toda la vida. Al igual que otras computadoras, sólo obtenemos lo que hemos ingresado. Si programamos nuestra computadora mental con pensamientos positivos se manifestará una realidad más positiva. La mente subconsciente también es como una computadora en el sentido de que no le importa si la información que ingresa a ella es verdadera o falsa, y esa es la razón por la que las afirmaciones funcionan tan bien. Así pues, podemos escoger programar nuestra "mente subconsciente" con pensamientos que nos apoyen y eleven, dándonos confianza y haciéndonos sentir mejor con nosotros mismos, aún si las afirmaciones no necesariamente son verdad en ese momento.

No nos estamos engañando cuando por ejemplo decimos "Me siento confiado y tranquilo", cuando puede resultar muy obvio que no nos sentimos así. Nos estamos programando para lo que queremos alcanzar.

Como nuestra mente subconsciente es tan literal y acepta todo tal y como se lo decimos, *tenemos* que decir "Me siento confiado y tranquilo" como si estuviéramos confiados y tranquilos en este preciso instante. Pero si decimos "Quiero sentirme confiado y tranquilo" o "Me sentiré confiado y tranquilo", nuestra mente registra estas afirmaciones como un evento futuro, no como una situación del presente, así que esperará al futuro venidero. Y todos sabemos que el futuro nunca llega. De esta forma, cuando queremos alcanzar un estado particular tenemos que decirlo en tiempo presente para que nuestra mente lo acepte y comience a actuar en concordancia.

Aún si te estás programando con un evento futuro en particular en mente, por ejemplo, una cita con el doctor, necesitarás tener esos sentimientos y esa confianza y tranquilidad *en este momento*. Tu "computadora mental" no puede distinguir entre eventos imaginados y eventos reales. Cuando estás pensando en un evento futuro, tu mente subconsciente realmente no sabe si la reunión está ocurriendo en este momento o la próxima semana. Así, si te imaginas que la reunión ya está llevándose a cabo, por lo que a tu mente subconsciente se refiere, la reunión está ocurriendo *en este instante*. Esa es la razón por la que necesitas hacer tus afirmaciones en tiempo presente. La palabra "afirmar" justamente significa que lo que estamos diciendo es un hecho, que ya está ocurriendo. Pon el escenario visualizando que te encuentras en tu cita tranquilamente mientras dices tu afirmación "Me siento confiado y tranquilo". Luego, cuando llegue el momento y gracias a la repetición constante de la afirmación, estarás listo para el éxito.

CÓMO HACER AFIRMACIONES EFECTIVAS

Las afirmaciones pueden utilizarse para todo. Puedes trabajar con cualquier aspecto de tu vida que quieras, desde tu salud, tus relaciones (recordando que sólo puedes cambiarte *a ti* y que no puedes cambiar a nadie más), tus esperanzas con respecto al futuro, la forma en como te sientes contigo mismo, dejar de fumar, adelgazar, aumentar tu confianza... cualquier cosa. Por ejemplo, para ayudarme en mi programa de mejora de caminata afirmo "Mi espalda, mi cadera y mis piernas se sienten bien y son fuertes. Camino libre y fácilmente".

Hay algunos puntos que recordar cuando hagas afirmaciones para ti.

1. Asegúrate de que desees el resultado con el 100 por ciento de tu deseo.
2. Nuestra mente se siente atraída hacia lo que pensamos, así que siempre, siempre expresa afirmaciones en *positivo*, no en negativo. Por ejemplo, "Me siento confiado y tranquilo" y no "No me siento preocupado". Al utilizar la primera afirmación, tu mente es atraída hacia sentirte confiado y tranquilo.

3. Para que tu mente subconsciente las acepte fácilmente, procura que tus afirmaciones sean *cortas* y *concretas. Facilita* que tu mente las acepte.
4. Estamos tan acostumbrados a regirnos por leyes y regulaciones que algunas veces es más fácil hacer afirmaciones como si fueran órdenes; por ejemplo, "Tranquilízate" o "Camina libre y fácilmente".
5. Repite tus afirmaciones a lo largo de todo el día, en voz alta, si puedes, para obtener el máximo efecto. Al decirlas en voz alta el efecto es más poderoso. Entre más involucres todo tu cuerpo y sus sentidos, mayor será el impacto. *Actúa* las afirmaciones mientras las dices para tener efectos más rápidos y completos. Involucra todo tu cuerpo y mente con el significado de cada afirmación. Piensa claramente en el significado de las palabras y forma una imagen fuerte en tu mente de que la afirmación está siendo verdad para ti.
6. La repetición constante es importante. Necesitas imprimir tus afirmaciones concienzudamente en tu mente subconsciente hasta que nuevos pensamientos comiencen a aparecer automáticamente.
7. Repetir las afirmaciones puede proporcionarte una gran seguridad, elevación y puede hacer que

cambie tu estado de ánimo si las usas en momentos de estrés o dolor. Puedes pensar "¿Cómo puedo decir "Me siento tranquilo y confiado" cuando no me siento así en este momento?" Recuerda: no se trata de auto-engaño sino de auto-dirección. Estás trabajando para alcanzar un resultado deseado.

8. Puedes ver algunos resultados casi inmediatamente. Otros cambios pueden ser más sutiles y puede pasar más tiempo antes de que observes que ocurren.

9. Algunas veces es sorprendentemente difícil repetir una afirmación. Si sientes que alguna de tus afirmaciones está encontrando resistencia, prueba el siguiente ejercicio en tu libreta personal. Toma dos páginas, una para escribir tu afirmación y la otra para escribir cualquier respuesta que obtengas. Mientras escribes tu afirmación, repítela para ti mismo con todo tu corazón. Si surgen en tu mente pensamientos negativos mientras dices la afirmación, escríbelos en la segunda hoja. Sigue haciéndolo hasta que hayas escrito tu afirmación diez veces o más. Observa las respuestas negativas y crea nuevas afirmaciones para contrarrestar cada una de las respuestas negativas.

Entre más utilices tus afirmaciones, será más fácil aceptarlas y más poderoso será el efecto que obtengas. Practica y practica tanto como puedas durante unas cuantas semanas y luego descubrirás que querrás repetir las afirmaciones por la fuerza que te dan. Poco a poco verás que ocurrirán cambios en tu vida.

IDEAS PARA UTILIZAR LAS AFIRMACIONES

- ***"Paquete de poder".*** *Escribe cada oración de forma separada en pequeñas tarjetas que sean fáciles de manejar. Mantén tu "paquete de poder" en tarjetas junto a ti, y luego puedes memorizarlas para usarlas en momentos difíciles del día.*
- *Lee el contenido de tu "paquete de poder" temprano en la mañana para prepararte para el día. Di las afirmaciones en voz alta, si es posible, o repítelas en tu cabeza.*
- *Lee las afirmaciones con frecuencia a lo largo del día cuando estés en calma, tal vez cuando te hagas un espacio para tomar agua.*
- *Graba las afirmaciones para escucharlas mientras trabajas, manejas o caminas. Dilas o cántalas junto con la cinta, si es posible en voz alta.*
- *Di tus afirmaciones en voz alta mientras te miras en el espejo. Esta es una técnica muy poderosa. Dile a tu reflejo "Te sientes tranquilo y confiado". Luego di "Me siento tranquilo y confiado". Observa cómo te hacen sentir las dos afir-*

maciones. Este método puede duplicar el impacto de tus afirmaciones.

- *Lee tu "paquete de poder" de tarjetas con afirmaciones y luego escoge sólo una de ellas que te parezca particularmente relevante en ese momento. Con esta afirmación especial podrías hacer lo siguiente:*

  Escribir la afirmación en trozos de papel y colocarlos donde los veas frecuentemente: en tu lugar de trabajo, auto o casa; en los espejos, en la pantalla de TV, en el refrigerador, etc.

  Sigue escribiendo esta afirmación especial una y otra vez, con tanta frecuencia como quieras, repitiéndola para ti al mismo tiempo.

  Haz un dibujo del resultado de la afirmación. Que sea un dibujo grande y brillante y cuélgalo para recordar el resultado deseado.

- *Si estás teniendo un día particularmente difícil, lee tus tarjetas de afirmaciones cada hora. Puedes poner una alarma para que te lo recuerde si es necesario. O trata de escribir otras, digamos, cada hora (pon tu alarma), escríbelas y léelas constantemente hasta que termine el día antes de irte a dormir.*

- *Trata de reforzar la afirmación de esta forma: "Me es fácil... ¡SÍ!, me es fácil... (inserta tu necesidad).*

Recuerda siempre que lo que pienses de ti puede convertirse en realidad. Somos lo que *creemos* que somos, así que *rechaza* quedarte en pensamientos negativos y *escoge* tener pensamientos de apoyo, constructivos y positivos.

Escoger concentrarte en pensamientos que te eleven es una de las decisiones más importantes que puedas tomar. Usar afirmaciones, no importa cuáles sean tus problemas actuales, te permitirá pensar bien de ti, disfrutar la vida, mejorar tu bienestar físico y, sobre todo, manejar el dolor y sentir que estás a cargo de tu vida.

LINEAMIENTOS DE ACCIÓN

1. Prueba los dos experimentos "Pon a prueba tus pensamientos y sentimientos", p. 42, y "Pon a prueba tus músculos", p. 44.
2. Utiliza la técnica "Detente y cambia" para manejar tus pensamientos. La práctica constante es la clave para el éxito.
3. Escribe afirmaciones confortantes en tu libreta personal y haz un "paquete de poder" en pequeñas tarjetas. Escoge algunas formas para utilizarlas y usarlas todos los días.

UNIDAD 3

Construye tu autoestima y una actitud positiva

ÍNDICE

Diálogo corporal 69
"¿Como sería si fuera...?" 71
Sigue sonriendo 74
La sonrisa interna 75
Almacén de tesoros 76
¡Busca el oro! 78
¡Qué gran estrella! 81
Cultiva la apreciación 85
La burbuja dorada 85
Despertar 88
Gracias 89
Una actitud positiva hacia al dolor 90
Lineamientos de acción 93

En aquellas ocasiones en las que nuestra confianza y nuestra autoestima son altas, nos sentimos felices con la vida y estamos contentos de ser quienes somos. Estamos concentrados en las cosas buenas de la vida, nos sentimos equilibrados y tranquilos. Cuando estamos llenos de alegría y de gratitud por lo que tenemos, por la vida misma, nos sentimos satisfechos. En este estado de armonía todo nos parece sencillo y fácil, estamos en contacto con todos nuestros poderes interiores naturales y todas nuestras fortalezas, y la vida fluye.

Cualquiera que sea nuestra situación, podemos disfrutar esta forma de vida equilibrada con más regularidad. Podemos construir nuestra confianza sistemáticamente y un sentimiento de valor personal. Y a medida que aumenta nuestra autoestima, tenemos el beneficio de que nuestra vitalidad, nuestra alegría y el acceso a nuestra sabiduría interior son cada vez mayores.

Si aumentamos nuestra positividad esto nos produce un enfoque hacia la vida más relajado, lo cual fomenta que nuestros niveles de dolor se reduzcan.

Al desarrollar una actitud de apoyo y de cuidado hacia nosotros mismos y hacia nuestro dolor la calidad de vida mejora, lo cual nos permite sentirnos más felices, más entusiasmados y ver de nuevo hacia el futuro. Tú, al igual que muchas otras personas que se preocupan por su dolor, pueden disfrutar de una autoestima floreciente y en aumento y lograr un equilibrio en su vida. A medida que aprendemos a fijarnos menos en nuestro dolor, puede ocupar el lugar que le corresponde, que es en la zona lateral del escenario en lugar de ocupar el lugar central.

De hoy en adelante vamos a concentrarnos en desarrollar una actitud de aceptación y aprobación hacia nosotros mismos. Vamos a utilizar todas las oportunidades para pensar bien de nosotros y de los que nos rodean. Cuando estamos en este marco mental positivo entramos en contacto con nuestra sabiduría interior y nuestras fortalezas. Esto influye en la calidad y el tono de nuestra vida y nos permite ver el dolor de manera diferente. Cuando cambiamos nuestra actitud respecto al dolor podemos obtener como resultado que el dolor se vuelva más tolerable, algo que vemos como parte de nuestra vida, algo que podemos manejar y acomodar en nuestra vida. Desarrollar una actitud positiva nos regresa la esperanza y nos permite afirmar nuestro futuro.

Podemos llegar a ver la parte del cuerpo que nos está produciendo dolor bajo otra luz: podemos aprender a cuidarla en lugar de maldecirla; tratar de ayudarla en vez de odiarla.

Sé más paciente con ella en lugar de enojarte.

Respétala en vez de tratar de forzar a que haga lo que no puede hacer por el momento.

DIÁLOGO CORPORAL

Para ayudarnos en este viaje de crecimiento y descubrimiento personal vamos a descubrir más acerca de cómo funcionamos. Aceptamos generalmente que los pensamientos que tenemos influyen directamente en nuestro cuerpo y en cómo nos sentimos. Esto también ocurre en el proceso inverso: nuestro lenguaje corporal influye en nuestros pensamientos. En otras palabras, la postura física que asumimos afecta cómo nos sentimos emocionalmente. Puedes ver esto por ti mismo en este experimento rápido.

- *Tómate un momento para hacerte consciente de cómo te estás sintiendo en este momento. ¿Qué emociones tienes? Cualesquiera que sean, anótalas mentalmente.*
- *Deja que tus hombros se flexionen hacia delante, las comisuras de la boca bajen, tu barba se caiga y tu cabeza se incline.*
- *Nota cómo te estás sintiendo ahora. ¿Puedes percibir la diferencia?*

Pasa rápidamente al siguiente experimento para dispersar las sensaciones negativas.

- *Esta vez relaja los ojos, sonríe, levanta los brazos (teniendo cuidado de moverlos lo suficiente para que te sea cómodo) y ponte frente al sol.*
- *Nota cómo te sientes ahora.*
- *¿Sentiste la diferencia entre las dos posturas corporales?*

Al hacer este experimento sólo estábamos "actuando". Aunque no estuviéramos en un estado de ánimo particularmente negativo o positivo, nuestras emociones se vieron afectadas por la postura que tomamos. Cuando nuestro lenguaje corporal dice que nos sentimos bien, en realidad experimentamos una sensación momentánea de bienestar emocional.

Los actores nos dan un ejemplo cuando asumen en su casa el papel que están haciendo. El actuar un papel les puede afectar personalmente, e influye en su comportamiento. Algunos actores que actúan el mismo papel durante mucho tiempo reconocen que su personalidad se alteró considerablemente por el papel que estaban realizando. Si hacen el papel de una persona deprimida y miserable, se vuelven más introvertidos de lo que realmente son. Viceversa, cuando tienen el papel de una persona feliz y con suerte, los actores se pueden volver más joviales.

Esta información resulta muy interesante en tanto que la podemos utilizar a nuestro favor. Al utilizar un lenguaje corporal positivo y actuar de manera positiva podemos influir para que nuestra mente actúe de la misma manera. Al actuar como si "mi vida fuera alegre" los sentimientos se darán como consecuencia y nos volveremos y sentiremos más alegres. El siguiente ejercicio, basado en las ideas antes mencionadas, es muy liberador y facultativo, y nos brinda más confianza y tranquilidad, lo cual reduce la incomodidad.

"¿CÓMO SERÍA SI FUERA...?"

Tómate cinco minutos más o menos para sentarte o acostarte en un lugar donde no te interrumpan. Hazte consciente de tu respiración y percibe cómo tu cuerpo se mueve mientras inhalas y exhalas. En la siguiente exhalación deja que el aire salga por la boca con un ligero suspiro.

En la otra exhalación imagínate que el suspiro baja desde la parte superior de tu cabeza hasta las plantas de tus pies. Cuando sueltes el aire, siente cómo sale también la tensión.

Ahora que estás relajado, sigue respirando normalmente. Lleva tu atención a las diferentes partes del cuerpo y relaja cada una. Los pies, las piernas, el abdomen, la espalda baja, y luego sube por tu espalda hasta tus hombros hasta llegar a tu cabeza y tu rostro.

Ahora trae a tu mente una situación en la que sientas que necesitas apoyo o ayuda de alguna manera, una situación acerca de la cual tengas sentimientos negativos. Pregúntate: "¿Cómo sería si fuera una persona optimista y confiada?"

Imagínate actuando como si tuvieras confianza y fueras optimista y visualiza cómo te comportarías en esa situación. Hazte muchas preguntas, tales como:

"¿Cómo me vería?"
"¿Qué estaría sintiendo?"
"¿Cómo me movería?"
"¿Cómo me vestiría?"
"¿Dónde estaría?"
"¿Estaría alguien conmigo?"
"¿Cómo reaccionarían las demás personas conmigo?"
"¿Qué haría?"
"¿Qué haría después?"
"¿Cuál sería el resultado?"

Sigue diciendo para tus adentros "Si tuviera confianza y fuera optimista yo..." Cuando te imagines participando en la situación en la que te encuentras obsérvate en ella sintiéndote bien, manejando todo como si fueras una persona confiada y optimista.

Disfruta estos sentimientos poderosos antes que regreses al lugar donde estás meditando. Cuando estés listo para despertar, estírate y llévate los sentimientos que creaste contigo. Sabes que puedes tener estos sentimientos en cualquier situación y en cualquier momento si actúas con confianza como si fueras esa persona.

Puedes utilizar este ejercicio con otras cualidades. Por ejemplo, podrías decir "¿Cómo sería si fuera una persona tranquila?", o "¿cómo sería si pudiera controlar mi dolor?" Escoge palabras que te sean relevantes y con las que te sientas bien en cualquier situación con la que quieras trabajar.

A medida que hacemos este ejercicio de imaginación descubrimos que al "actuar la confianza" adquirimos confianza. Por supuesto que hemos logrado esto en nuestra imaginación, pero ahora que ya hemos experimentado el sentimiento en nuestro interior nos hemos dado el poder para poder llevar a cabo las acciones en la vida real y en cualquier situación que queramos. Sigue practicando este ejercicio y cuando estés en una situación de la vida real recuerda cómo te sentías cuando realizaste el trabajo imaginativo. Tendrás el poder de vivir las situaciones que visualizaste.

Una vez que adquieras experiencia con la técnica, puedes usarla espontáneamente, en cualquier momento que te descubras sintiéndote inseguro o en un marco mental negativo. Sólo pregúntate, ¿cómo sería si fuera una persona...? (nombra la cualidad que deseas tener). Tu sabio ser interior tiene la respuesta, y al preguntar, liberas el poder para actuar de esa manera.

Este es un importante y transformador ejercicio y puede tener un gran impacto en toda tu forma de vivir.

SIGUE SONRIENDO

Cuando actúas con los movimientos de "alegría" descritos en el ejercicio del principio de este capítulo, p. 69, el factor más grande para levantar el ánimo fue la sonrisa que esbozaste en tu rostro. Para sonreír usamos menos músculos que las expresiones de enfado y cuando sonreímos el rostro se ensancha y se relaja. Los músculos del rostro regulan la cantidad de sangre que va al cerebro. Sonreír permite que la sangre fluya libremente a! cerebro, donde todas las células reciben una mayor provisión de nutrientes, lo cual permite que funcionen eficientemente. Ahora se sabe que reírse y sonreír activa la producción de endorfinas, los analgésicos naturales del cuerpo. Cuando sonreímos utilizamos menos músculos y nos beneficiamos del oxígeno extra que estamos recibiendo, nuestra fuerza cerebral aumenta, y nos vemos y sentimos más jóvenes. Al sonreír deliberadamente, literalmente le puedes dar un empujón a tu estado de ánimo. No tienes que tener ganas de sonreír. La sonrisa misma envía mensajes positivos a tu mente subconsciente que automáticamente los transfiere a tu cuerpo. Cuando te vistas en la mañana, recuerda que lo primero que tienes que hacer es sonreír.

LA SONRISA INTERNA

Para continuar con el tema, trata de hacer la bella visualización de "La sonrisa interna". Asegúrate que no seas interrumpido durante 5 hasta 20 minutos para hacer esta relajación. Quítate los zapatos y suelta cualquier prenda apretada. Siéntate o acuéstate en una posición que sea lo más cómoda para ti. Cuando hagas la relajación permítete pasar un buen tiempo con cada parte de tu cuerpo.

1. *Hazte consciente de tu respiración y percibe cómo sube y baja tu cuerpo mientras inhalas y exhalas. En la siguiente exhalación deja salir el aliento con un ligero suspiro. Esboza una sonrisa en tu rostro; ésta te ayudará a relajar tu rostro. Inhala por la nariz. En la siguiente exhalación, imagínate que el suspiro baja desde la cabeza hasta las plantas de los pies. A medida que sueltas el aire, siente cómo la tensión se va. Sigue respirando normalmente.*

2. *Ahora vas a poner tu atención en las diferentes partes del cuerpo, comenzando con el abdomen. Cuando inhales, imagina que tu respiración va a esa área y la llena de energía curativa y calor. Siente cómo tu abdomen se baña y nutre con el oxígeno y siente cómo las células de esa área están refrescadas y trabajan bien. Sabe que están felices por la atención que les estás dando. Imagínate a todas las células riéndose y girando.*

Y luego ve como toda esa parte está sonriendo. Imagínate una sonrisa de lado a lado del abdomen. Cuando te imagines sonriendo a tu abdomen, éste responderá ensanchándose y relajándose. Quédate con esta imagen tanto tiempo como desees.

3. *Repite el paso dos con todas las partes que quieras según tu tiempo. Las áreas que se beneficiarán con esta atención son el cuello, la espalda, y el rostro. Por supuesto que puedes abordar de esta manera el área que te duela: esto estimulará tus procesos naturales de curación.*
4. *Cuando hayas completado tu relajación, quédate descansando en el resplandor maravilloso cálido y silencioso que has creado y sabe que esta sensación está ahí esperándote en cualquier momento.*
5. *Cuando estés listo para terminar, estírate y llévate los sentimientos que has creado contigo; mantén una sonrisa en tu rostro, sabiendo que todo tu cuerpo sonríe por dentro.*

ALMACÉN DE TESOROS

La construcción de nuestra autoestima es una prioridad muy importante en nuestro viaje hacia el alivio natural del dolor. Con el almacén de tesoros vas a amasar tu "nido de los huevos de oro". Vas a necesitar un cuaderno personal. El cuaderno puede tener cualquier forma: un simple cuaderno de ejercicios, un diario, un libro de diario o un archivo de computadora. Cualquier forma que elijas, será un libro sólo para ti y para que hagas anotaciones. Va a ser tu arca del tesoro de positividad que te apoyará en tu camino. El "Almacén de los tesoros" se convertirá en una colección de ideas, técnicas efectivas, y tus logros y éxitos. Puedes utilizarlo para registrar tu trabajo con las técnicas de este libro. En tiempos de necesidad vas a poder leer tu "Almacén de tesoros" para obtener inspiración y apoyo.

Tu cuaderno "Almacén de tesoros" es un trabajo continuo y lo puedes utilizar para registrar y trabajar con cualquiera de las siguientes áreas, además de las cosas que tú desees: es tu "tesoro". Te servirá para:

- Escribir técnicas útiles para ti
- Trabajar con las técnicas
- Anotar las formas en las que manejas el dolor y registrar los logros y éxitos
- Explorar y liberar tus sentimientos; anotar tus pensamientos
- Registrar y trabajar con tus preocupaciones cotidianas; escribir afirmaciones

- Llevar un registro de tu programa de ejercicios
- Expresar los deseos que quieres cumplir; registrar tus visualizaciones
- Escribir tus metas y tus avances para llegar a ellas
- Explorar sucesos significativos
- Registrar e interpretar sueños
- Expresarte mediante dibujos

Hazte el hábito de escribir en tu cuaderno "del tesoro" todos los días, ya sea para leer acerca de tu progreso, para refrescar tu memoria respecto de las ideas y técnicas que te suben el ánimo, o para escribir un apartado nuevo. Ten el libro cerca y deja que sea una fuente de alimento espiritual. Tu valor personal aumentará cuando tengas un tesoro como éste que te respalde. Vas a comprender tu dolor y tendrás una mayor conciencia de él. Lo más importante es que te ayudará a obtener una sensación de control sobre tu vida. La imagen que tienes de ti mismo mejorará y tu valor personal aumentará significativamente.

¡BUSCA EL ORO!

El ingrediente vital para tener una actitud positiva es construir la confianza en ti mismo. La confianza en uno mismo proviene de respetarnos, de ver el valor que tenemos, de aceptarnos así como somos (con palabras y todo) y de darnos aprobación. "¡Busca el oro!", que es un ejercicio para fomentar la conciencia de las actitudes positivas, es el primer apartado de tu almacén de positividad. Cuando buscamos activamente actitudes positivas en nuestro mundo, descubrimos que surgen en nosotros sin ningún esfuerzo. En tu viaje hacia una mayor confianza, haz un plan deliberado para buscar lo bueno en todo lo que ves. Algunas veces quizá tengas que buscar diligentemente hasta que te acostumbres a la idea de fijarte en las cosas buenas de la vida, pero pronto se volverá cada vez más fácil. Por ejemplo, es extraordinariamente útil buscar las noticias en la radio o en la televisión que tengan una actitud positiva y un objetivo siempre constructivo y que te den información positiva, y elige rodearte con lo bueno. Empieza construyendo tu tesoro de fuerza interior. Tu "oro" son todos los pedacitos de bien que puedas encontrar a tu alrededor o dentro de ti. Cuando juntas todo esto, se acumula y tienes un tesoro de positividad que te rodea por completo.

Para hacer tu primer depósito de valor en tu almacén de tesoros escribe todas las actitudes positivas y sucesos que te llamen la atención en tu vida cotidiana. No importa cuán pequeño sea el incidente. Esto podría incluir las cosas que hace y dice la gente, frases de libros, el nombre de piezas de música inspiradoras, de hecho, cualquier cosa que descubras que te anima y te da apoyo. Es una buena idea hacer esto todos los días, como si estuvieras escribiendo un diario. Sigue agrandando tu lista a medida que anotas los eventos que mejoran tu vida, dondequiera que estés.

Haz dos listas, una junto a la otra. En un lado anota el incidente y en la otra, en el margen derecho, escribe el atributo positivo. Un ejemplo sería:

Incidente	**Actitud positiva que sentí**
Un amigo vino	Amigable
a verme	Feliz
Canté en la regadera	Contento
Vi un programa	Entretenido
cómico	Relajado
Escuché el canto de	En paz
los pájaros en	Gozoso
el jardín	Saludable
Hice ejercicio	Bien conmigo mismo
	Vigorizado
Leí un libro	Inspirado

Tomé una decisión que había esperado tomar durante mucho tiempo | Contento

Ten tu cuaderno a la mano para que puedas seguir tus tesoros y volver a leerlo con frecuencia. Si te sientes desalentado y necesitas levantarte el ánimo, lee tu lista de actitudes positivas. Lee la lista en voz alta, si quieres, y antes de cada palabra agrega la frase "yo soy"... Por ejemplo, "Yo soy agradecida", "Yo soy útil"... y prosigue con la lista.

Di cada enunciado con todo el corazón, aunque no sientas esa emoción en particular para empezar. Para cuando hayas terminado de leer la lista te sentirás con más ánimos. Tu mente subconsciente no diferencia entre los pensamientos "reales" y los pensamientos que deliberadamente pones en tu mente. No importa si los pensamientos son verdaderos o no, tu mente subconsciente sólo actúa según la información con que se alimenta. ¡Qué ventaja para nosotros! Así que habla con convicción y tu mente absorberá los mensajes en ese instante, y tu cuerpo responderá de acuerdo con ellos.

¡QUÉ GRAN ESTRELLA!

Todos prosperamos y crecemos en confianza dentro de una atmósfera de aprobación y alabanza. Quién mejor para dárnosla que la persona que mejor nos conoce. Algunas veces se nos olvida que no sólo los niños merecen y necesitan ser alabados para crecer en confianza y en autoestima; los adultos también lo merecen. Sí, merecen alabanza. Mereces ser alabado, eres digno de alabanza. Tal vez sientas que no has hecho nada especial, pero no necesitas hacerlo. Ya eres especial. Tú y yo tenemos habilidades únicas, talentos y cualidades. Las mías son diferentes a las tuyas, y las tuyas son diferentes a las de las demás personas. A medida que aprendemos a valorar el aspecto más insignificante de nuestra personalidad, nuestra confianza crece y florece.

Vas a necesitar tu nuevo cuaderno personal, tu "almacén de tesoros", para hacer este ejercicio, para barnizar tu imagen, para alabarte y valorarte. Cuando obtengas más confianza personal, descubrirás que los demás responden de manera positiva y florecerás en esta atmósfera de apoyo.

Haz una lista larga en tu cuaderno de todas las cualidades que te gusten de ti (por lo menos veinte o más), incluyendo las habilidades que has aprendido y tus características físicas. Titula la página como "¡Vaya estrella!" si quieres; te hará sonreír y te recordará todos los ejercicios que haces para hacerte sentir bien. Para empezar, revista tus listas que hiciste en "¡Busca el oro!"

Para que la lista sea de más valor para ti para obtener ideas, escribe un enunciado por cada cualidad con una idea de cómo utilizas ese tributo en particular. Por ejemplo:

¡Qué gran estrella!

Mis cualidades	**Cómo utilizo mis cualidades**
Soy buen cocinero	*Me gusta preparar comida especial*
Soy un buen organizador	*Planeo todas nuestras finanzas*
Me dijeron que tengo una bonita sonrisa	*¡Voy a sonreír con más frecuencia!*
Me entusiasma ayudar a cuidar el medio ambiente	*Reciclo mis latas y papel*
Soy decidido	*Mi decisión me ayudará a mantener mi nuevo plan para aliviar el dolor*

Lee tu lista con frecuencia y agrándala cuando puedas.

La lista se puede utilizar de diferentes maneras:

- Puedes leerla horizontalmente enlazando las dos listas con la palabra "y".

- Lee sólo uno de los dos lados.
- Agranda la lista pensando en diferentes usos de las cualidades. Entonces la lista será más grande cada vez y tendrá más relevancia para ti cada vez que la leas. Por ejemplo:

En la primera lectura sería:

"Soy un buen organizador y planeo todas nuestras finanzas".

En la segunda lectura podrías decir:

"Soy un buen organizador y me encargo de hacer los menús y las listas de compras".

En la tercera lectura el enunciado podría ser:

"Soy un buen organizador y estoy haciendo listas de plantas para ponerlas en la nueva jardinera del jardín"... etc.

Al trabajar con regularidad en los dos ejercicios, "¡Busca el oro!" y "¡Qué gran estrella!" en tu cuaderno personal, descubrirás que tu confianza personal crece y crece. Busca toda oportunidad para cultivar una atmósfera de positividad alrededor y dentro de ti.

CULTIVA LA APRECIACIÓN

Otro factor sencillo para tener un estado de ánimo feliz es cultivar una actitud de apreciación en nuestra vida. Cualquiera que sea nuestra condición siempre hay muchos aspectos positivos en nuestra vida que podemos valorar. Con frecuencia, debido a nuestra preocupación respecto a nuestro estado físico, tal vez nos olvidamos de todas las cosas buenas que nos rodean. Sin embargo, cuando nos concentramos y nos volvemos más sensibles a todas las cosas buenas de nuestra vida y todas las cosas que podemos hacer, descubrimos que experimentamos una mayor alegría. Los pensamientos positivos atraen más pensamientos positivos, la felicidad atrae más felicidad, y así nuestros dones crecerán cada vez más.

Transforma tu actitud frente a tu dolor y tu situación utilizando regularmente los siguientes ejercicios.

LA BURBUJA DORADA

El primer ejercicio consiste en buscar esas pequeñas "pepitas" de oro antes de irte a la cama. Que lo último que hagas en la noche sea pasar unos cuantos minutos preparándote para pasar una noche tranquila mediante un "diario visual" al hacer una retrospección de tu día, buscando todas las "pepitas" posibles para agregarlas a tu cúmulo de "tesoros". Este ejercicio va a reforzar más tu actitud positiva pues tiene un final de expansión en el que llegas a otras personas compartiendo tus "Tesoros" con ellos.

Tómate unos minutos para hacer el ejercicio de la burbuja dorada antes de irte a dormir. Comienza poniéndole atención a tu respiración; simplemente hazte consciente del subir y bajar de tu cuerpo. Permite que tu respiración se vuelva un poco más lenta y profunda. Después de algunos momentos, en tu siguiente exhalación, deja que tu respiración salga con un ligero suspiro. Siente cómo toda la tensión se va a la superficie sobre la que estás recostado. En tu siguiente exhalación deja que el suspiro vaya desde la parte superior de la cabeza hasta la parte inferior de tus pies.

Ahora que estás relajado, piensa en retrospectiva y reúne todos los pedacitos de "bien" de tu día, todas las bendiciones y momentos mágicos. Puede ser la sonrisa de alguien, una carta, los cumplidos que has recibido o dado, un bello cielo, un programa agradable, una llamada telefónica, una visita, una caricia, el olor o el color de alguna fruta, la manera en que manejaste tu dolor en un momento dado, una expresión de "gracias" por la comida, absolutamente todo lo que mejoró tu día e hizo que tu corazón se expandiera. Quédate con cada momento, saboréalo y tráelo a tu mente con detalles, con cualquiera de los sentidos asociados, como colores, sonidos, sabores, texturas, olores.

Cuando hayas reunido todo tu "oro" descubrirás una sensación de alegría, calidez y gratitud en tu interior.

Ahora le vas a dar este maravilloso regalo a alguien más que se pueda beneficiar de este bienestar. Este regalo tiene cualidades mágicas: cuando damos esos sentimientos de calidez y amor, no es que las personas se vayan y nos dejen sin nada. En realidad nos quedamos con abundante calidez y amor que crecen dentro de nuestro corazón y en nuestra mente. Cuando damos, nuestros sentimientos de amor y gratitud crecen.

Imagínate que este sentimiento de calidez y buena voluntad se transforma en una maravillosa luz dorada. Ve con el ojo de tu mente la luz dorada encerrada dentro de una hermosa burbuja dorada. Ahora envía la burbuja que contiene la luz dorada para que esparza la calidez y la luz dorada a otra persona que pudiera beneficiarse con este consuelo. Ve cómo la burbuja brilla y burbujea mientras flota y se aleja en el cielo. Observa cómo cada vez se hace más pequeña. Dale las enormes gracias a esos momentos dorados del día mientras ves cómo se alejan. Ahora imagínate que llega a su destino y ve cómo *se disuelve la burbuja, y rodea con luz dorada, amor y calidez a la persona a quien se la has enviado.*

Este ejercicio imaginativo te preparará para pasar una maravillosa y tranquila noche de dulces sueños y para tener un sentimiento de gratitud y apreciación por tu vida.

Este ejercicio creativo es especialmente importante para personas como nosotros que sentimos que ya no podemos contribuir con otras personas tanto como lo hacíamos antes.

DESPERTAR

Tal vez te gustaría practicar este y el siguiente ejercicio, que son adiciones a los ejercicios previos. "Despertar" continúa con el mismo tema de la "Burbuja dorada" y tiene el objetivo de programarte para establecer la atmósfera del día siguiente.

Haz que los primeros pensamientos del día sean positivos y de apreciación. Hazte el nuevo hábito de alabar y valorar todo lo que tienes en tu vida cada mañana cuando te despiertes.

Tan pronto como te despiertes, haz una lista en tu mente de al menos seis cosas buenas de tu vida. Puedes incluir cualquier cosa, desde tu cama calientita, hasta las cosas que puedes hacer.

Vas a descubrir que tu corazón se expande a medida que entra la gratitud. La sensación de expansión y calidez inundará tu día, lo cual te proporcionará un maravilloso comienzo.

GRACIAS

La palabra gracias es una expresión de gratitud y apreciación. Una manera maravillosa de mantener el buen estado de ánimo que obtuviste en los ejercicios que hiciste al despertar es hacer el ejercicio de dar las "Gracias" tan frecuentemente como quieras durante el día. Este ejercicio me es especialmente útil en momentos de estrés. Es bueno reconocer la buena fortuna en todas las demás áreas de nuestra vida.

Puedes hacer este ejercicio mientras estás acostado, sentado o en movimiento. Podrías escoger algunas de las siguientes frases o expresar tu gratitud a tu manera. Las palabras no importan tanto como el deseo de mostrar que valoras las pequeñas cosas de la vida.

"Gracias por... (el nombre del objeto)" o "estoy agradecido por..."

o "Te doy las gracias por.."

o "Gracias por..."

o "Soy afortunado porque..."

o "Aprecio..."

Un ejemplo de esto sería cuando estés fuera de tu casa o viendo al exterior:

"Aprecio el cielo".

"Aprecio los árboles".

"Aprecio el pasto".

"Aprecio estas flores".

"Aprecio poder percibir todas estas cosas".

Sigue añadiendo cosas a tu lista mental hasta que estés lleno de las bendiciones de la vida.

Cuando hacemos este ejercicio de todo corazón descubrimos que al concentrarnos y valorar lo que tenemos, nos llenamos con un sentimiento de amor, calidez y aprecio por la vida misma.

Aunque este ejercicio parezca muy simple, de hecho es muy poderoso, así que pruébalo. Recuerda que vale la pena todo lo que podamos para intentar mantener el enfoque mental en la positividad.

UNA ACITUD POSITIVA HACIA EL DOLOR

Dentro de nosotros existe una fuerza curativa que se esfuerza continuamente por sanar nuestro cuerpo. Esta fuerza opera con mayor eficiencia cuando nos sentimos bien y estamos relajados. Sabiendo esto, podemos apreciar que además de aumentar nuestra autoestima y nuestra confianza en general, la mejor manera de apoyarnos a nosotros mismos es desarrollar una actitud positiva y de cuidado hacia nuestro dolor. Lo hacemos tratando de ayudar a nuestro cuerpo de cualquier manera que podamos, siendo pacientes con nosotros mismos y con la parte que nos duele, y respetando a nuestro cuerpo por lo que puede y no puede hacer en este momento. Podemos aprender a entrar en contacto con nuestro dolor, sin maldecirlo ni luchar con él sino proporcionándole cuidados y siendo su amigo. Podemos hablar directamente con el dolor con compasión y comprensión y agradecerle por todo lo que ha hecho hasta ahora. Le podemos decir a la parte del cuerpo que entendemos que nos duele en este momento y que estamos haciendo lo mejor que podemos para ayudarla.

Por ejemplo, una conversación positiva con un dolor de espalda sería más o menos así:

"Gracias por todo lo que has hecho por mí en el pasado. Siento mucho haberte tratado mal. Sé que sientes dolor y estoy haciendo lo mejor que puedo para ayudarte y cuidarte. Por favor, hazme saber si necesitas algo. Te escucho."

Si pones toda tu atención en el área dolorida y le hablas a tu manera, muy bien podrías recibir un mensaje. Podría ser un sentimiento, un pensamiento o una imagen que llegue a tu mente. Muestra apertura y toma nota de las primeras sensaciones que te vengan: así es como tu yo interno sabio se comunica contigo. Si no obtienes retroalimentación de tu cuerpo en ese momento, simplemente pasa algunos minutos haciendo que la parte dolorida respire calidez y relajación; esto también le va dejar saber a esa área que la estás cuidando. Trata de entrar en contacto con esa parte en otra ocasión próxima. Continúa usando esta técnica para fortalecer la relación de cuidado con tu cuerpo.

A medida que crece la relación, el respeto por nuestro cuerpo aumenta y tenemos menos probabilidades de maltratarlo. Al cuidar nuestro cuerpo de esta manera positiva, obtenemos oportunidades para que las endorfinas que reducen el dolor fluyan y para que la curación ocurra.

Entre más utilicemos las técnicas de este libro, más crecerá nuestra confianza. Entre más crezca nuestra confianza, más nos sentiremos al mando de nuestro dolor y nuestro futuro. El dolor va a tomar su lugar en nuestra vida, a un lado del escenario en lugar de en la parte central.

LINEAMIENTOS DE ACCIÓN

1. Trabaja para impulsar tu confianza todos los días. Utiliza las ideas contenidas en este capítulo para ayudarte... El éxito depende de la manera en que abordes tu dolor y de las técnicas que utilices. Prueba estos ejercicios de todo corazón y te van a funcionar. La actitud positiva te mantendrá en tu trabajo de autoayuda... una actitud de "no sé si funcionará pero yo pondré lo mejor de mí".
2. Es muy importante que empieces un diario personal, tu "Almacén de tesoros" de positividad. Hazte el hábito de tener a la mano tu "Almacén de tesoros" de inspiración. Vas a obtener apoyo y confianza a partir de las descripciones que muestran el valor que te das.
3. Date muchas oportunidades para esperar las cosas con entusiasmo. Ve el capítulo 8 para revisar el tema de "Disfruta".
4. Revisa el capítulo 2 "¿Qué te estás diciendo a ti mismo?" para obtener información de cómo detener los pensamientos negativos y reemplazarlos con pensamientos positivos.
5. Recuerda siempre concentrar tu mente en lo que ves y haces y cambiar tu actitud a apreciar lo que tienes.

UNIDAD 4

Imágenes en tu mente

ÍNDICE

Practica las habilidades de visualización 100
- Paso 1 100
- Paso 2 101
- Paso 3 103
- Paso 4 105
- Paso 5 107
- Cómo desarrollar tus habilidades 109

Visualización de un "refugio seguro" 110

Visualizaciones para aliviar el dolor 113
- Alivio del dolor con imágenes de agua 114
- Visualización para cambiar el dolor 115
- Visualización curativa de "dos minutos" 123

Cómo usar las habilidades de visualización 125

Lineamientos de acción 126

Podemos llevar a cabo una transformación casi mágica de nuestra vida y del sano funcionamiento de nuestro cuerpo por medio del uso consciente y creativo de nuestra imaginación. Cuando utilizamos nuestra imaginación con estilo y habilidad podemos lograr maravillas. Esta es una de las técnicas más emocionantes y poderosas que tenemos a nuestro alcance.

Cualquiera tiene la capacidad de utilizar su imaginación de una forma creativa, aunque es una habilidad que pudo haberse olvidado. Cuando éramos niños normalmente pasábamos horas usando nuestra imaginación en un mundo de fantasía, actuando o soñando despiertos. A medida que fuimos creciendo se nos pudo haber dicho que dejáramos de soñar despiertos y se nos impulsó a usar en su lugar nuestros poderes de razonamiento. Esto ocurrió con frecuencia a expensas de nuestra creatividad, cuya fuente se localiza en el lado derecho de nuestro cerebro, mientras que nuestros poderes de lógica yacen en el lado izquierdo. Cuando tenemos un equilibrio perfecto utilizamos ambos lados de nuestro cerebro en igual proporción, combinando la lógica del cerebro izquierdo con la imaginación del cerebro derecho. Como adultos, podemos no haber utilizado este poder natural durante muchos, muchos años pero, con la práctica, la capacidad puede ser revivida y alimentada.

Al uso de nuestra imaginación para ingresar información positiva a nuestra vida con frecuencia se le conoce como visualización creativa, visualización positiva o imaginería creativa. En Estados Unidos se llevó a cabo un estudio sobre visualización. Se midió el desempeño de tres grupos de personas que tenían como meta encestar en un juego de basquetbol. Un grupo practicó durante veinte minutos diarios, otro no practicó nada y el tercer grupo *imaginó* que practicaba sus habilidades de encestado. Después de veinte días se midió nuevamente su desempeño. El grupo que había practicado mejoró sus habilidades en un 24 por ciento. La gran noticia es que el que no hizo nada pero que había visualizado el encestado mejoró en un 23 por ciento, prácticamente lo mismo que aquellos que habían practicado en la realidad. Se encontraron resultados similares en otros deportes.

Esta investigación se hizo con habilidades deportivas, pero se aplican los mismos descubrimientos a muchos otros aspectos de nuestra vida. Este emocionante descubrimiento prueba lo que muchas personas ya saben: nuestra mente es poderosa y puede influir en la forma en la que nuestro cuerpo funciona. No tenemos que estar físicamente en un lugar o hacer físicamente algo para que nuestra mente subconsciente crea que algo está ocurriendo. Cuando deliberadamente utilizamos la visualización para cambiar algún aspecto de nuestra vida estamos ingresando mensajes a nuestra mente subconsciente. La mente subconsciente acepta lo que se le ingresa, ya sean mensajes que provengan de nuestros pensamientos, afirmaciones o de imágenes visualizadas o imaginadas. Esta parte de nuestra mente no usa la lógica ni pone en duda la información que recibe. Por ejemplo, la mente subconsciente de los jugadores no sabía si los hombres estaban haciendo tiros de verdad o no; simplemente registraron que encestaban con éxito. Los hombres que no practicaron el encestado pero que sólo entrenaron su mente, usaron habilidades de visualización. Después de relajarse, se concentraron, imaginaron toda la acción con gran detalle y se dijeron que encestarían con éxito. Esta visualización convenció a su mente subconsciente de que el encestado realmente estaba ocurriendo en ese momento. Como resultado, su mente envió la información apropiada a su cuerpo, dando un resultado positivo.

Si vemos claramente en nuestra mente lo que queremos, lo que seguirá será la realidad, así de sencillo. Cuando utilizamos nuestras habilidades de imaginación, las imágenes que "vemos" son traducidas inmediatamente a una realidad física y emocional con una velocidad tan instantánea como cuando encendemos una luz. Esto tiene un significado maravilloso para nosotros. Podemos aprovechar este poder para nuestro propio bien para propiciar los cambios que deseamos y para tener un impulso real para curarnos y reducir nuestro dolor.

PRACTICA LAS HABILIDADES DE VISUALIZACIÓN

Hemos utilizado la habilidad de visualizar en nuestra vida diaria aunque tal vez no la hayamos reconocido como tal. Cuando hacemos algo, lo primero que hacemos es que "vemos" el suceso en nuestra mente como una imagen, aunque el proceso puede ser tan rápido que no nos damos cuenta de que ocurre. Por ejemplo, si planeaste unas vacaciones, viste folletos y pensaste en cómo las pasarías, habrás visto primero, aunque sea velozmente, imágenes en tu mente.

Paso 1

Trata de recordar algunos sucesos de los descritos a continuación y observa si "ves" alguna imagen en tu mente o recibes alguna otra sensación en tu cuerpo. No hay necesidad de que intentes hacer o ver algo. Si recibes imágenes o sensaciones, está bien; si no, también está bien. No podemos *forzarnos* a tener imágenes o sensaciones. Relájate, tómate tu tiempo con cada sugerencia y simplemente observa lo que sucede.

Recuerda:
El sonido de un auto que pasa.
La sensación de lluvia que cae sobre tu mano.
El sonido de un gis en un pizarrón.

La sensación de comer pan tostado.
El aroma del café.
La sensación de correr.
Acariciar un gato.
Un arco iris.
Estirarte para alcanzar unas moras.
Un cielo azul y un mar color turquesa.
El aroma de un limón.

Probablemente habrás "visto" o "escuchado" o sentido la respuesta de alguna forma, aunque sea fugazmente.

Paso 2

La siguiente etapa consiste en practicar tus habilidades de imaginación con cada uno de tus sentidos de forma separada.

Imagina objetos que conoces muy bien. Incluye todos los sentidos: la vista, el tacto, el gusto, el olfato, el oído y también el movimiento. Tómate tu tiempo con cada recuerdo y simplemente deja que broten las sensaciones. Una vez más, relájate y no trates de recibir nada.

Vista

Ve la imagen de: un semáforo en luz amarilla, un plátano amarillo, una rosa rosa, un campo de golf verde, un cielo azul con nubes blancas, una puesta de sol, un camión rojo.

Oído

Escucha el sonido de: pájaros que cantan, un avión que va pasando, una campana, el agua de la regadera, una tetera con agua hirviendo, un teléfono sonando, un periódico que está siendo arrugado.

Tacto

Siente la sensación de: acariciar un animal, tocar una planta espinosa, tu mano en una corriente de agua, la parte alta de una reja de madera, una pelota de esponja en tu mano, una barra de metal.

Gusto

Percibe el sabor de: un limón, helado suave, tu bebida favorita, sal y vinagre sobre unas papas, una manzana jugosa.

Olfato

Huele el aroma de: pan recién horneado, café, una rosa, un limón, una fogata.

Movimiento

Siente la sensación en tu cuerpo de: saltar, andar en bicicleta, nadar, cortar verduras, brincar, correr, levantar algo pesado.

Paso 3

Para desarrollar aún más tus habilidades de visualización, crea una pequeña escena usando tantos sentidos como puedas. Sería una buena idea que usaras las imágenes que ya practicaste en el ejercicio anterior y que combines algunas de ellas en la historia. Esto te ayudará a recibir la imagen más clara y plenamente. A continuación te presento un ejemplo de una visualización sencilla que utiliza algunas de las imágenes practicadas. Si eliges utilizar esta corta visualización, tal vez quieras grabarla o pedirle a alguien que te la lea.

Ponte cómodo, deja que tu respiración esté tranquila y que sea un poco más lenta y profunda. Siente que te despojas de toda tensión. Haz a un lado las expectativas y prepárate para aceptar lo que suceda. Vete en la escena, como si todo te estuviera sucediendo. Haz que la escena sea lo más grande, brillante, colorida y sonora que se pueda, utilizando todos tus sentidos. Tómate tu tiempo con cada parte de la historia.

Imagina que te levantas por la mañana... Abres la llave de la regadera, escuchas el sonido del agua que corre... Tocas el agua con tu mano para probar la temperatura del agua y luego te bañas, sintiendo el contacto del agua mientras cae sobre tu cuerpo... Tiempo después, llenas una tetera y escuchas el sonido del agua hirviendo... y te preparas una bebida caliente... La hueles y la pruebas... Sales de casa para tomar un autobús. Mientras caminas por la calle percibes el humo de la chimenea de un vecino. Arriba de ti escuchas un avión que va dejando a su paso una estela de vapor en el hermoso cielo azul... Le haces la parada al autobús... y te subes... Sientes la sensación del pasamanos frío de metal en tus manos... y escuchas el sonido de las hojas de periódico de los pasajeros. Cuando el autobús arranca, sientes un jalón reflejado en tu cuerpo... Cuando llegas a tu destino te bajas del autobús... y eres recibido por el aroma de pan recién horneado que proviene de una panadería cercana... Eres tentado por el aroma y entras y ves y hueles una serie de galletas, bollos, roles, panes y pasteles...Te compras tu pan favorito y saboreas cada trozo mientras vas caminando. Te sientes contento y relajado. Ahora, mientras regresas suavemente a tu habitación, trae contigo las sensaciones de felicidad y relajamiento. Mantenlas contigo mientras continúas con tu día.

Puedes descubrir que algunas sensaciones son más claras que otras. Esto es perfectamente normal pues todos tenemos uno o dos sentidos que son más fuertes que los otros. Algunas personas pueden ver imágenes vívidas y otras son capaces de "escuchar" sonidos claramente. No esperes necesariamente ver imágenes duraderas en tu mente, como si se proyectaran en una pantalla de televisión. La escena puede venir a ti como un destello o solo como el *conocimiento* de que estás corriendo, como el *conocimiento* de que estás tocando un pasamanos de metal.

Paso 4

La visualización anterior proviene principalmente de los recuerdos que actualmente tenemos de objetos y sucesos que hemos visto y sensaciones que hemos tenido. La siguiente etapa en el desarrollo de nuestras habilidades de visualización es pasar a imágenes más creativas e imaginativas. Intenta hacerlo al principio de una forma muy sencilla. La técnica es muy divertida, lo que siempre le añade un mayor atractivo, así que simplemente relájate y no pienses en *cómo* lo estás haciendo o si lo estás haciendo bien. De hecho, no te preocupes en lo más mínimo por el resultado. La esencia de la visualización exitosa es estar abierto y receptivo y dejar que lo que haya de venir, venga, sin preocuparte de si está "bien" o si es lo "suficientemente bueno".

Cuando utilizamos nuestras habilidades de visualización para crear estas escenas relajantes en nuestra mente, son más efectivas si relajamos nuestro cuerpo y mente primero con una corta sesión de relajación. Esto le da al lado imaginativo de nuestro cerebro la libertad de flotar y ser creativo, de estar libre del lado cuestionador y lógico de nuestro cerebro. Una vez más, tal vez prefieras grabar el guión o que alguien más te lo lea.

Escoge un lugar donde puedas estar cómodo, sin distracciones ni perturbaciones, y deja que tu respiración sea tranquila y profunda... En tu siguiente exhalación, deja que tu cuerpo se relaje... A la siguiente, deja que tu mente se relaje, dejando ir los pensamientos que te vengan; no tienes que preocuparte por ellos en este momento... Este es un tiempo para ti, un tiempo para estar en paz y disfrutar de ti mismo. Deja que las imágenes o sensaciones vengan a ti sin forzarlas. Si no vienen, sigue relajándote y concéntrate en tu respiración por unos momentos y simplemente observa lo que sucede...

Imagina que estás recostado bajo un hermoso árbol sobre el pasto verde. Siente el suelo que está debajo de ti, cálido y firme. Escuchas a los pájaros que cantan en el árbol. Una suave brisa acaricia las hojas del árbol levemente... y sientes la sensación de la brisa que recorre suavemente tu piel... La luz está en movimiento y te sientes relajado y contento. Mira el cielo azul, no hay nubes y es un día perfecto. Y ahora imagina que aparece tu nombre, una letra a la vez, con grandes letras en el cielo. Cada letra tiene un color diferente cuando aparece. Simplemente mira cómo aparece cada letra y deja que los colores vengan espontáneamente. Cuando aparezca cada letra, escucha un sonido brillante, como si una varita mágica le diera vida a cada letra. Cuando tu nombre completo esté en el cielo imagina que suena una fanfarria. Ha sido sonada para anunciarte, reconocerte y darte honores. Siéntete orgulloso de ser quien eres, siente que eres parte del mundo y sabe que eres una parte importante de todo el universo. Lentamente vuelve a estar consciente de la superficie que está debajo de ti y suavemente regresa a la habitación, reteniendo esos maravillosos sentimientos mientras lentamente comienzas a moverte una vez más.

Paso 5

Cuando éramos niños dejábamos que nuestra imaginación corriera libremente, creando toda clase de fantasías y aventuras. Con frecuencia actuábamos y jugábamos a "ser" diferentes personas y cosas. Involúcrate en las siguientes experiencias y vuelve a descubrir la alegría de una imaginación desinhibida.

Tómate el tiempo necesario en estas actividades de actuación de roles. No es necesario que las hagas todas al mismo tiempo. Repártelas en unos cuantos días si así lo deseas. Puedes experimentar estas visualizaciones sentado o recostado para relajarte, o, si quieres, puedes mover tu cuerpo y realmente *ser* las partes mientras las actúas.

Visualiza detalladamente los objetos, animales y personas que están en la lista de abajo y deja que tu imaginación se desboque. Actúa estos papeles en tu mente total y completamente, sintiendo con todo tu ser que eres esa persona, animal o cosa. No estás observando, *digamos, un pez; tú* eres *ese pez. Saca el máximo de cada imagen; siente y observa como te verías, ya sea que lleves puesta ropa o escamas, etc.; escucha lo que está sucediendo, cómo se sienten las cosas. Por ejemplo, si eres ropa que está en el tendedero, ¿cómo se sienten las pinzas? ¿Cómo se sienten el sol y el viento? Si eres un ratón, ¿cómo se sienten tus bigotes? ¿Qué se siente tener cola? ¿Qué estás comiendo, viendo, escuchando, haciendo y cómo te mueves?*

Diviértete y SÉ:

Un pez

Una semilla que está germinando

Un duende

Una lavadora

Un avión

Ropa que está tendida en un día de viento

Un ratón

Un águila

Un periódico

Un rey o una reina

Cómo desarrollar tus habilidades

Practica tus nuevas habilidades de visualización durante el día y como lo último que hagas antes de irte a dormir. Es una buena idea que continúes con todas estos ejercicios de visualización y que crees otros para que practiques más adelante. Experimenta dándole vida a rostros y escenas. Visualiza la música. Visualiza que eres diferentes personas. Sé creativo. Ponte en situaciones en las que normalmente no estarías: jugar en la final de un torneo, explorar el Amazonas, rapelear, o encontrarte en un mundo de fantasía completamente innovador. Pon todos tus sentidos en juego para fomentar el desarrollo de tu mente creativa e imaginativa.

Las visualizaciones más efectivas, especialmente cuando usas este procedimiento para ayudar a tu cuerpo, son aquellas que creas especialmente para ti, que van con tu personalidad y tus propias necesidades. Ahora que ya has desarrollado algunas habilidades de visualización puedes seguir adelante para crear tus propias visualizaciones, que serán la base de muchas otras y que puedes utilizar en muchas ocasiones diferentes. Puedes utilizar estas visualizaciones personales como un punto de salida para esos momentos en los que necesitas relajarte, cuando quieres aislarte para pensar en un problema, para tener un sueño plácido, para "ensayar" algún suceso próximo, para tener éxito en tus metas, para darte confianza u otros sentimientos positivos, o cuando quieras crear una aventura fantástica.

VISUALIZACIÓN DE UN "REFUGIO SEGURO"

Estás a punto de crear tu propia visualización en tu mente, un lugar en el que te sientes seguro y relajado. Este lugar es muy especial y es justo para ti, un lugar en el que te puedes sentir en paz y contento. Puede ser un lugar que conozcas, tu rincón favorito o puede ser un lugar imaginario, tal vez un hermoso jardín interior, una playa, un paraje en un bosque, una colina desde donde se ve la ciudad, un penthouse, una pequeña cabaña, un bote, o puede ser un lugar completamente hecho de fantasía, como una cueva submarina o una estrella. Haz que este lugar sea tu propio especio, para ti y sólo para ti. Ninguna persona puede entrar a este mundo privado a menos que la invites a hacerlo. Utiliza todos tus sentidos y crea tu Refugio Seguro muy claro en tu mente; imagina la decoración, los alrededores, los sonidos que puedes escuchar y todas las sensaciones asociadas. Tómate tu tiempo y pasa de 5 a 20 minutos disfrutando la visualización. A continuación te presento un ejemplo de cómo puedes hacerlo. Tal vez quieras grabar en una cinta el guión o que alguien te lo lea, dejando pausas grandes donde están los puntos suspensivos.

> *Asegúrate que estás cómodo, a una temperatura cálida y en un lugar tranquilo. Ponle atención a tu respiración y deja que se vuelva más profunda y lenta... Siente cómo tu cuerpo se relaja, se calma y aquieta... Deja que la relajación recorra todo tu cuerpo... Cuando vengan pensamientos a tu mente, déjalos ir y no los sigas... Pasa unos cuantos minutos relajándote de esta forma, disfrutando las sensaciones de paz que has creado... y luego comienza tu visualización.*
>
> *Imagina que estás en un camino que lleva a un hermoso lugar que te gusta mucho y que te trae inmediatamente sentimientos de tranquilidad y serenidad. Percibe con claridad lo que te rodea. ¿Estás adentro o afuera?... Es un lugar muy especial... Ve a tu alrededor y disfruta todos los detalles de tu Refugio Seguro... Observa los colores que te rodean... los sonidos... lo que sientes que está debajo de ti y a tu alrededor... ¿Cómo estás vestido?.. Siéntete relajado, en paz y feliz de estar donde estás... Busca un lugar donde puedas sentarte o recostarte cómodamente... y un lugar donde tener papel para escribir... pinturas o cualquier cosa que tal vez*

quieras utilizar de vez en cuando para expresar tus sentimientos...

Siéntete renovado, con paz mental... Ahora explora tus alrededores y observa cómo te mueves libremente y con fuerza... con garbo al caminar... disfrutando de una excelente salud... haciendo lo que te gustaría hacer... alcanzando tus metas y sueños, fácil y exitosamente... Te sientes confiado... vibrante... y totalmente vivo... feliz de ser quien eres.

Sigue explorando los rincones y recovecos de tu lugar especial y disfruta tus sentimientos positivos hasta que llegue el momento de que regreses al mismo camino del que viniste y, luego, suavemente, regresa a la habitación. Trae de regreso los sentimientos para que te apoyen durante el resto del día o, si es momento de dormir, sigue relajándote y soñando despierto y permítete sumergirte en una noche pletórica de un sueño tranquilo.

Visita tu Refugio Seguro con frecuencia y agrégale más detalles cada vez que lo visites. Verás que tu visualización de este Refugio Seguro es tan hermosa que querrás utilizarla en muchos momentos. Podrás escapar a él cuando necesites consuelo o ánimo o una mayor confianza, y te ayudará en el alivio natural del dolor, que con frecuencia, es el resultado final. Serás capaz de utilizarla como la base de muchas visualizaciones futuras.

Tal vez habrás notado que existe un alto contenido emocional en esta visualización. Se evocan sentimientos de paz y tranquilidad junto con fuertes sentimientos de estar sano, feliz y confiado. Cuando traemos nuestras emociones a la visualización, ésta se fortalece y son enviados a nuestra mente subconsciente mensajes claros y fuertes. ¿Recuerdas a los jugadores de baloncesto? Añadieron a la visualización de sus tiros de canasta el deseo de tener éxito y sintieron el éxito en sí mismos y más tarde esto lo tradujeron en un éxito real. Añadir emociones positivas a la visualización asegura un resultado exitoso. No nos estamos engañando con estos éxitos y sensaciones imaginadas. Estamos dirigiendo y determinando el resultado.

VISUALIZACIONES PARA ALIVIAR EL DOLOR

Tal vez estés consciente de que no me he referido al dolor en ninguna de estas visualizaciones. Probablemente has descubierto que los niveles de dolor han disminuido porque has relajado tu cuerpo y has lanzado tu mente a viajes y exploraciones imaginativas, las cuales ayudan al proceso de curación. Este es un descubrimiento maravilloso y puedes observar que el alivio del dolor que obtienes es perfectamente idóneo. Sin embargo, puedes tener un empuje aún más directo para reducir el dolor con la ayuda de ciertas imágenes y algunas variaciones de la técnica básica.

Alivio del dolor con imágenes de agua

Muchas personas descubren que para ellas las imágenes en donde su dolor fluye fuera de ellas como agua son las más efectivas. Fácilmente puedes incorporar imágenes de agua a tu visualización básica del Refugio Seguro. Por ejemplo, una vez que te hayas relajado y hayas entrado a tu lugar especial y pases algún tiempo ahí disfrutándolo, puedes continuar la visualización e imaginar cualquiera de las siguientes escenas:

> *Párate en medio de una hermosa fuente, y observa cómo la luz forma arco iris brillantes que bailan entre las gotas de agua. Deja que el dolor salga de ti por tus pies y se vaya con los riachuelos de agua. Siente que tu cuerpo y tu espíritu se liberan, se sienten vivos y llenos de vigor gracias al agua chispeante. Ves una corriente burbujeante y la luz del sol brillando en las rocas mientras el agua las golpea y las moja. Eres atraído hacia la corriente y te sientas en la orilla, con tus pies en el agua fría. Sientes el alivio a medida que el agua te tranquiliza y relaja, y las sensaciones de dolor salen de tu cuerpo, de la corriente de agua hacia el mar.*

O

> *Recuéstate en un estanque de agua tibia, color azul. Puede ser en la playa o en una alberca interior de mármol. Deja que el azul calmante te envuelva y cubra tu cuerpo para dejar ir cualquier*

cosa que no necesites, como por ejemplo el dolor o una emoción no deseada. Deja que flote y se aleje de ti. Siéntete tranquilo y arrullado por el agua azul.

Cuando hayas pasado suficiente tiempo con la imagen de agua de tu elección, completa la visualización regresando gradualmente a la habitación, trayendo los sentimientos de paz y libertad contigo.

Estas imágenes y otras que tengan que ver con agua, como estar parado en medio de una cascada o un manantial, flotando en el mar o disfrutando de un espumoso baño de burbujas, son verdaderamente relajantes y tienen un efecto de alivio del dolor. Como siempre, cuando utilices la visualización, entra profundamente en la escena y permítete ver y sentir plenamente todo lo que hay en el lugar.

Visualización para cambiar el dolor

Una de las formas más efectivas para reducir el dolor es utilizar técnicas de visualización para obtener una imagen del dolor y luego cambiarla por una más tolerable, o incluso hacer que el dolor desaparezca. Cuando te encuentras en un estado de relajación y tu mente creativa e imaginativa está libre, permites que imágenes espontáneas o símbolos entren en tu mente de cómo se ve o se siente el dolor. Puedes utilizar tu capacidad de imaginación para trabajar con los símbolos del dolor para cambiarlos. Puedes liberar sensaciones de tensión, enfriar áreas que estén calientes y suavizar sensaciones punzantes. Confía en tu mente imaginativa y acepta los símbolos e imágenes que vienen primero a tu mente y deja que vengan a tu mente imágenes espontáneas de tu dolor para estar en un estado receptivo para comenzar a trabajar en ellas.

Como siempre, encuentra un lugar tranquilo y cómodo donde puedas estar en paz durante un tiempo. Cierra los ojos y pon atención a tu respiración... deja que sea tranquila y relajada... Deja que tu cuerpo se aquiete... Siente cómo la relajación comienza a diseminarse por todo tu cuerpo... simplemente deja ir todo... Cuando vengan pensamientos a tu mente, déjalos ir también... disfruta la paz y la comodidad que has creado... Y ahora lleva tu mente a tu Refugio Seguro... Este es tu lugar especial, un espacio en el que puedes sentirte totalmente unido contigo y con el mundo... Viaja en tu mente por tu refugio. Ve, siente y escucha todo lo que pasa en él... disfruta tu estancia ahí. Pasa tanto tiempo como desees en este lugar.

Ahora que estás relajado, en paz y en calma, reconoce que el proceso curativo ya ha comenzado. Sigue respirando natural y fácilmente a medida que te acercas en tu mente al área en la que deseas trabajar. No hagas nada, simplemente sigue respirando suavemente y deja que el dolor esté en la parte frontal de tu conciencia. Está abierto y receptivo y dispuesto a que el dolor mismo te sugiera imágenes. Pregúntate "¿Cómo es el dolor o la sensación? *Toma nota de las primeras imágenes que pasen por tu mente o sensaciones que sientas en tu cuerpo. Estas serán las más importantes sobre las cuales vas a trabajar. Sigue respirando tranquilamente y simplemente deja que el dolor esté ahí. No es necesario encontrar algo y no necesitas cambiar o mover nada. Simplemente permanece pasivo y deja que las sensaciones vengan a ti sin juzgarlas y sin reaccionar de ninguna forma.*

La información puede venir como:

Una imagen fugaz en tu mente

Un color, forma o textura

Una sensación o sentimiento vago en tu interior

Una sensación física

Un sonido o una voz

Un sabor

Simplemente "saber" algo

Cuando duermes puedes tener imágenes de tu dolor en tus sueños. Si sucede, es una buena idea utilizar esas imágenes como puntos de comienzo ya que tu mente subconsciente las ha producido para ti.

Lo que recibas será un símbolo de cómo ve tu mente subconsciente el dolor. Veas lo que veas, escuches o sientas es justo para *ti*. Algunas veces tal vez no tengas una imagen sino una sensación general como tensión o dolor. Si es el caso, para poner en claro la sensación pregúntate, "¿Qué clase de tensión?", "¿cómo es el dolor?", o "¿qué me recuerda esto?" Jamás juzgues lo que te venga a la mente. Deja tus facultades críticas y lógicas de cerebro izquierdo detrás; estás accediendo al lado derecho creativo de tu cerebro. Cualquier cosa que brote en tu imaginación viene de ti y, por tanto, es perfecta para la ocasión. Confía en tu yo intuitivo. No apresures el proceso; relájate y acepta lo que venga. Si no viene "nada", pon tu atención en tu respiración y pasa más tiempo relajándote. El proceso imaginativo no puede ser *forzado* y necesita una mente y una actitud relajadas para florecer.

Continúa con más preguntas para reunir tanta información como puedas para tener una imagen clara. Entre más información tengas, más éxito tendrás para encontrar imágenes que alteren las sensaciones de dolor.

Hazte preguntas sobre el tamaño de la imagen... el color... la forma... ¿Cambia o permanece constante?... ¿Hay sonidos, olores o sabores asociados al dolor?... ¿Es caliente o frío?... ¿Hay algunos recuerdos asociados con él?... ¿Está tratando de decirte algo?... ¿Existen emociones o sentimientos asociados con él?.. ¿Cuáles son tus sentimientos hacia él?.. ¿Te recuerda algo?

La primera vez que utilices este proceso tal vez recibas un leve chispazo o vacilación de una imagen o sensación. Con la práctica, a medida que sigas utilizando el proceso, las imágenes se volverán más fuertes y más detalladas. Recuerda no forzar las imágenes. Deja que surjan por sí mismas. Si descubres que estás comenzando a tratar, dirige tu mente hacia tu respiración o hacia tu Refugio Seguro. Con frecuencia, en cuanto cambias tu atención y te relajas se presenta sola una imagen. Recuerda utilizar la primera imagen que venga a tu mente, sin importar cuál sea.

No te preocupes si no brota nada y no notas nada. Simplemente sigue respirando tranquila y normalmente durante un poco más de tiempo. No te enjuicies ni a ti ni al proceso.

Cuando tengas una imagen tan completa como te sea posible en este momento, puedes comenzar a cambiarla, alterarla y finalmente dejarla ir.

Haz que esta parte de tu visualización sea realmente fuerte y poderosa. Entre más fuerte sea la nueva imagen, más efectiva será. La imagen alterada puede ser graciosa o incluso ridícula, no importa. Frecuentemente éstas pueden ser las más efectivas, pues habrás inyectado emoción al proceso. En tu mente cambia gradualmente el calor a frío, cambia el color rojo intenso en un calmante color azul, deshaz un nudo fuerte, suaviza una parte arrugada con una plancha, apaga las llamas con rocío o con agua, imagina cómo una luz amarilla curativa calma las áreas lastimadas, suaviza barras de hierro como si fueran hielo o helado que se derrite o conviértelas en una esponja, desamarra un área amarrada... sé creativo. Pasa algún tiempo visualizando que la imagen cambia hasta que las sensaciones disminuyan y tu cuerpo esté más cómodo.

Una visualización que tengo y que es muy exitosa para mí es cambiar un dolor de cabeza que parecía como si tuviera una apretada banda alrededor de mi cabeza en una corona de no-me-olvides justo encima de mi cabeza. Mi dolor de cabeza desapareció y pasé todo el día con mi "halo" invisible porque disfruté mucho las sensaciones placenteras de libertad que obtuve alrededor de mi cuello, hombros y cabeza.

Puedes continuar preguntándole al área adolorida si hay algo que puedas hacer para ayudarle. Una vez más, no esperas una respuesta, simplemente está abierto a cualquier cosa que pueda venir a tu mente. Si las buscas demasiado, las respuestas pueden ser evasivas. Por el contrario, mantén una actitud de observación. Puedes tener la percepción de que puedes calmar tu dolor con un masaje, o que necesitas agua fría o una reconfortante botella con agua caliente. Sea lo que sea, imagina que te proporcionas lo que el dolor necesita. Tal vez sea un masaje con un aceite tranquilizante, tomar una bebida natural analgésica o un jarabe calmante, tomar un baño de agua caliente, ponerte debajo de una lámpara curativa, recostarte sobre la arena cálida de la playa... usa el lado creativo de tu mente.

Ocasionalmente puedes tener una imagen o sensación que no entiendas. No la rechaces; ponla a un lado y posiblemente en el transcurso del día puedas entender lo que significaba. Luego puedes ocuparla según sea necesario.

Finalmente, visualiza la alegría de no tener dolor... estar saludable... cómodo... y fuerte... Encuentra una imagen con la que te identifiques y que represente a tus analgésicos naturales del cuerpo, las endorfinas, mientras fluyen por todo el cuerpo... tal vez se trata de estrellas fugaces, flechas plateadas, luz dorada o un aceite rosa calmante... Vete feliz... riendo... y moviéndote libremente... Vete estando mejor y mejor cada día... y sabe que has alcanzado esto por ti mismo con tus propios poderes naturales... Felicítate por manejar tan bien el dolor... siéntete orgulloso de ti mismo... Asegúrate de que ves tu éxito fuerte y claramente.

Cuando hayas completado esta última parte de la visualización, quédate tranquilo por unos momentos hasta que estés listo para reanudar el movimiento... luego, lenta y suavemente regresa a la habitación sintiéndote relajado y en perfecto estado, sabiendo que lo que has hecho y aprendido tiene un gran valor.

Entre más experiencia tengas en cambiar tus imágenes de dolor de esta forma, más efectivo será el proceso. Algunas personas pueden tener éxito con la técnica de cambiar el dolor muy rápidamente; otras necesitan mucha práctica, así que sé paciente y sigue practicando. Más adelante, cuando tengas más práctica y sientas la confianza de enfocar tu dolor de esta manera, descubrirás que puedes obtener imágenes muy rápidamente sin tener primero una larga sesión de relajación. Algunas personas son capaces de entrar en sí mismos instantáneamente para recibir información. Esto requiere total tranquilidad para entrar en contacto con tu yo intuitivo.

Con frecuencia es muy útil hacer un dibujo de la imagen de tu dolor y otro de la imagen del dolor alterado. Ten lápiz y papel a la mano para que puedas dibujar mientras las imágenes están frescas en tu mente. Asegúrate de que la imagen del dolor alterado es realmente fuerte y clara. El dibujo sólo necesita ser un esbozo y sólo es para ti, así que siéntete libre de hacerlo tan libre y sencillo como lo desees.

Para resumir la visualización para "cambiar el dolor", recuerda cubrir todos estos puntos:

1 Relaja tu cuerpo.

2 Relaja tu mente con tu visualización del "Refugio Seguro".

3 Deja que una imagen del dolor brote en tu mente.

4 Cambia la imagen a otra que sea más agradable.

5 Pregúntale al dolor si puedes ayudarlo en algo.

6 Visualiza que estás bien, sano, moviéndote con facilidad y cómodamente.

Visualización curativa de "dos minutos"

Para reforzar otras visualizaciones curativas y para aliviar el dolor, a continuación te presento una experiencia sanadora rápida, de dos minutos. Utiliza esta poderosa visualización al menos tres veces al día para obtener "explosiones" intensas de curación y observa cómo te sentirás diferente. Cada vez que abres tu mente de esta forma también estás permitiendo que todas las células de tu cuerpo funcionen normalmente y faciliten y suavicen el camino de tus procesos de curación natural.

Esta vez no necesitas estar sentado o recostado. Puedes usar esta visualización dondequiera que estés; adáptala a la situación en la que te encuentres. Simplemente DEJA DE HACER lo que estás haciendo y retírate mentalmente a tu interior y concéntrate en tu respiración mientras entra y sale de tu cuerpo. Deja que tu respiración tenga un ritmo natural y tranquilo. Observa que ahora te sientes más relajado, en calma y centrado.

Imagina que estás sosteniendo tus manos en forma de copa hacia el sol, la fuente de toda la vida. En tu imaginación, siente su energía y calor en tus manos y rostro. (Si lo deseas y estás en un lugar conveniente para hacerlo, puedes elevar las manos como si las dirigieras hacia el sol. Conscientemente sentirás cómo la energía entra por tus dedos; puedes bajar las manos muy suavemente hacia tu abdomen, donde tus manos puedan descansar un rato.)

Ya sea en tu imaginación o en la realidad, siente cómo la energía y el calor se mueven a lo largo de tus brazos y alrededor de tu cuerpo. Ve la energía como una hermosa y suave luz curativa dorada... deja que fluya por todo tu cuerpo... ve cómo se concentra en las partes que necesitan un cuidado y una curación extra... Imagina que la luz dorada llena todo tu cuerpo... Imagina que hay tanta luz que se desborda y sale para rodearte como si fuera una hermosa aura brillante dorada, como si estuvieras en una cápsula destellante de luz curativa... Siente realmente cómo estás siendo mecido por esta luz dorada, protegido y feliz. Ahora repite una afirmación que te eleve, por ejemplo "Todas las células de mi cuerpo están sanas y fuertes". Cuando llegue el momento en que tengas que dar por terminada tu visualización, regresa a tu respiración por unos instantes y sabe que está ocurriendo la curación.

Haz una cita contigo mismo para utilizar la "Curación de dos minutos" al menos tres veces al día, o más si te es posible. Hazla en el baño, o en el transporte público, mientras esperas entrar a una cita o en cualquier otro momento libre. Ni siquiera tienes que cerrar los ojos y, de esta forma, nadie tiene que adivinar qué estás haciendo. Entre más conscientemente entres en contacto contigo de esta manera, más fácilmente funcionará el proceso de curación de una forma eficiente y normal. Háblate a ti mismo y anima a tus miles de millones de células. Ellas florecen en un cuerpo alegre, feliz y lleno de confianza.

CÓMO USAR LAS HABILIDADES DE VISUALIZACIÓN

Una vez que estemos familiarizados con la técnica de visualización podemos aventurarnos y utilizar nuestras nuevas habilidades de una manera aún más creativa. La visualización es una excelente herramienta para ensayar eventos próximos en nuestra imaginación para darnos un panorama claro de cómo vamos a desempeñarnos cuando la ocasión real se presente. Puede ser útil para repasar cómo nos desenvolveremos, digamos, en una reunión importante, una visita de relaciones públicas, una consulta con el doctor o un viaje. Podemos utilizar el proceso para cambios de forma de vida, como perder peso, disfrutar un sueño pacífico por la noche o cambiarnos de casa. Podemos entrar en contacto con nuestra intuición y trabajar con ella utilizando como símbolo un "amigo interno" imaginario o un "consejero sabio".

Todas estas clases de visualizaciones te llevarán a entrar en un conocimiento y una comprensión más profundas de ti mismo. Entramos en contacto con esa parte de nosotros que es profundamente intuitiva y que sabe lo que es mejor para nosotros tal vez haciendo preguntas sencillas, o incluso profundas, y recibiendo respuestas reales a medida que entramos cada vez más en contacto con nuestros sentimientos más íntimos. Crecemos como personas y descubrimos que el alivio natural del dolor y la curación vienen automáticamente cuando utilizamos nuestras habilidades innatas de esta forma detallada.

LINEAMIENTOS DE ACCIÓN

1. Practica las habilidades básicas de visualización en cada oportunidad que tengas.

2. Desarrolla tu propia visualización de un "Refugio Seguro" utilizando todos tus sentidos para que tu espacio interno de paz te sea tan familiar como el medio ambiente en el que te desenvuelves diariamente. Utiliza tu "Refugio Seguro" tan frecuentemente como puedas. Es un lugar que te da vida, en el que puedes refrescarte y elevarte.

3. Utiliza tu "Refugio Seguro" como un punto de partida para otras visualizaciones, como aventuras fantásticas, para curación y alivio del dolor, para establecer metas como mejora en la caminata, para aumentar la autoestima, para ensayar futuros acontecimientos, la exploración de emociones y situaciones y para contactar y consultar guías personales internos.

4. Utiliza afirmaciones positivas para reforzar las visualizaciones. Estas dos técnicas juntas son sumamente efectivas.

5. Si ocurre un "ataque" de dolor, utiliza la visualización creativa y afirmaciones para allanar el camino hacia la salud.

6. Si estás bajo algún tipo de tratamiento, utiliza la visualización positiva para reforzar el éxito del tratamiento.

7. Visualízate siempre como un ser lleno de salud radiante; mantén cerca esta visualización, sea cual sea tu condición. Nuestro proceso natural

UNIDAD 5

El manejo de tus sentimientos

ÍNDICE

Tu vida emocional 131
Cómo responder ante las situaciones emocionales 134
La técnica "Detente" 137
Sentir los sentimientos 138
La técnica "Busca el entendimiento interior" 140
Cómo utilizar la técnica 142
1 Identifica la emoción 142
2 Reconoce los mensajes provenientes de la emoción 142
3 Entiende la emoción 143
4 Libérate de la emoción 145
5 Acepta la situación 145
6 Agradece a tu sabiduría interna su ayuda 146
Cómo decir lo que sientes sin provocar una discusión 147
Otras formas de enfrentar las emociones 148
Escribe y sácalo 149

Utiliza el poder de la imaginación para disolver las emociones no deseadas 153
El río 153
Visualización de actividades físicas 154
Barre las energías negativas indeseables 155
Cómo calmarte 156
Una cápsula mágica 156
Un manto de invencibilidad 157
Afiánzate 158
Fomenta las emociones positivas 159
Maximiza el momento 160
Aligéralo 162
Háblalo 163
Toca 164
Lineamientos de acción 165

TU VIDA EMOCIONAL

Nuestros sentimientos están cambiando constantemente. Cuando estamos felices, amorosos y llenos de gratitud por la vida estamos en contacto con nosotros mismos, unidos con el mundo y la vida parece fluir. Estos sentimientos positivos son normales y naturales para nosotros. Cuando tenemos sentimientos negativos, como enojo o miedo, con frecuencia nos sentimos desconectados o incómodos con nosotros; todo parece estar en nuestra contra y la vida parece estar bloqueada y difícil. También es perfectamente normal y natural tener estos sentimientos negativos. Sin embargo, es importante que tengamos estrategias para expresar nuestros sentimientos negativos y mantener la armonía con el mundo. Se vuelve mucho más importante cuando padecemos dolor en nuestra vida porque, así como la tensión muscular puede crear dolor o empeorar la severidad del dolor, la tensión emocional puede afectar la intensidad del dolor. El estado de nuestras emociones tiene un efecto directo en nuestro cuerpo físico; por ejemplo, si nos sentimos felices, nuestros músculos se relajan, si nos sentimos tensos e irritables, se contraen. Por eso, tiene sentido que al poder liberar nuestra tensión emocional casi siempre podemos liberar la tensión muscular y así reducir el dolor.

Cuando tenemos dolor, nuestros sentimientos tienden a exacerbarse por la presión adicional proveniente de las sensaciones físicas. Podemos estar sujetos a una gama amplia de sentimientos negativos y nuestra manera de ver la situación y del mundo como un todo puede estar distorsionada y fuera de perspectiva. No tenemos disponible el pensamiento racional y constructivo, nada parece fluir y no podemos ver cómo llegar a aguas tranquilas. Esta es una reacción común y muy entendible frente al dolor; resulta tranquilizante saber que no hay nada de malo o anormal con ninguno de estos sentimientos, pues es imposible que una persona sólo tenga sentimientos positivos todo el tiempo. De cualquier manera que te sientas, cualquier emoción es perfectamente normal, así que no te critiques si te sientes enojado por el dolor o tienes miedo de que te dé un "ataque de dolor". Cuando tenemos dolor lo manejamos de la mejor manera que podemos en ese momento. Esta unidad te va a enseñar nuevas maneras de enfrentar las emociones negativas.

Aunque no hay maneras "malas o equivocadas" de sentir, definitivamente sí hay maneras inadecuadas de expresar nuestros sentimientos. Por ejemplo, podemos aventar los utensilios de la cocina cuando con quien estamos enojados no es con los utensilios o por tener que hacer la comida, sino, en realidad, lo estamos con el dolor. Otras personas lo manejan aparentando que están completamente en control, pero, de hecho, pueden estar escondiendo sus sentimientos. Sin embargo, esta represión de las emociones agrava la situación; las emociones no se van, siguen estando adentro. La represión de los sentimientos o la falta de reconocimiento de ellos, y el hecho de expresarlos de manera inadecuada, puede causar una acumulación de tensión dentro de nosotros. La tensión puede drenarnos la energía, y la necesitamos para cuidarnos. Como el profesor Jon Kabat-Zinn de la Universidad de Massachussets dice en su libro *Full Catastrophe Living*, "nuestro dolor emocional... es un mensajero. Los sentimientos tienen que ser reconocidos. Si los ignoramos, reprimimos, suprimimos o sublimamos, se quedan enterrados y no nos llevan a ninguna resolución, a ninguna paz".

Además de reconocer nuestros sentimientos y expresarlos, también necesitamos manejar la situación que encendió el sentimiento y descubrir si hay alguna acción práctica para ayudar a resolver el problema de raíz. Con frecuencia los problemas se obnubilan por los fuertes sentimientos que tenemos respecto a ellos, y no nos permiten pensar clara y racionalmente en la solución. Por eso, cualquier acción que tomemos quizá no nos sea de máximo beneficio. Por ejemplo, podemos actuar al calor del momento, cuando quizá hubiera sido preferible un enfoque más mesurado.

Utilizar las técnicas de esta unidad te permitirá manejar la confusión emocional o los sentimientos extremos de manera positiva para que puedas regresar al equilibrio y la armonía emocional. Las técnicas te van a mostrar cómo conectarte con tus recursos y tu sabiduría interna que te ayudan a liberar los sentimientos indeseables y a resolver el problema que originó los sentimientos. Esta sabiduría interna es tu fortaleza interna natural. Esta sabiduría siempre está ahí, disponible para ti, y siempre estará ahí, incluso en las profundidades de la desesperación o las alturas del enojo si tan sólo te das un momento para invocarla. Puedes aprender a enfrentar tus sentimientos negativos y a liberarlos de una vez por todas y para siempre.

CÓMO RESPONDER ANTE LAS SITUACIONES EMOCIONALES

Podemos aprender a manejar con mayor efectividad algunas situaciones emocionales de manera que dejemos de lado la confusión emocional excesiva. Sin embargo, tenemos que aceptar que nuestras emociones son cambiantes y no podemos esperar llegar a una etapa en la que nunca sintamos dolor emocional alguno; simplemente no es humanamente posible. Sin embargo, podemos aprender maneras mejores de enfrentar algunas situaciones potencialmente estresantes para difuminar las situaciones o moderar los efectos.

Siempre recuerda, no es la otra persona o la situación la que nos ha alterado, nosotros nos alteramos, nosotros nos enojamos, estamos ansiosos o nos alteramos por nuestra respuesta. Al darnos cuenta que nosotros nos hemos alterado y que no es el error de alguien más, estamos más en control de la situación. Somos responsables de cómo nos sentimos y podemos trabajar para manejar nuestras propias emociones. No podemos cambiar a otras personas, la manera en que piensan o actúan, sólo nos podemos cambiar a nosotros mismos.

Cuando te sientes enfermo o intranquilo tal vez observes algunas de estas sensaciones: una contractura en el cuerpo, hormigueo en las piernas, sensaciones de presión en el pecho, pensamientos de ansiedad, sensaciones de calor o de ruborización, un latido más rápido del corazón, o la boca seca. Si estás estresado, aunque sea ligeramente, tu cuerpo se pone en alerta o está listo para huir o para quedarse y pelear. Esto hubiera funcionado bien si hubieras enfrentado un ataque en la edad de piedra, pero en esta época normalmente uno no se enfrenta con un mamut enorme. En la edad de piedra la persona se preparaba para huir o quedarse y pelear enviando corrientes de adrenalina al torrente sanguíneo y desplazando la sangre hacia los músculos de los brazos y las piernas para fortalecer el cerebro y facilitar el pensamiento rápido. Después de huir o pelear, el cuerpo regresa rápidamente a la normalidad y el episodio se olvida. Estos síntomas se conocen como las reacciones de "lucha o huida".

En esta época, en lugar de enfrentarnos a los enormes mamuts, quizá nos tenemos que enfrentar al doctor, a una relación y hasta a nuestros propios pensamientos. El cuerpo no conoce la diferencia entre una situación realmente amenazante y una imaginaria, así que cualquier corriente de miedo lo prepara para correr o pelear. Por supuesto, en nuestra sociedad casi nunca podemos hacer ninguna de esas dos cosas, así que sofocamos nuestras reacciones naturales y nuestras emociones. Cuando lo hacemos, en lugar de que la adrenalina se utilice para permitirnos luchar o huir, se queda dentro de nosotros y se dispersa lentamente y sentimos algunos o todos los síntomas de la ansiedad. Todo esto, por supuesto, hace la situación todavía más estresante o dolorosa.

Ya aprendimos que cuando nos enfrentemos con una situación incómoda tendemos a actuar de la manera habitual que aprendimos hace mucho tiempo. Con frecuencia lo hacemos reprimiendo o actuando apresuradamente, agravando así toda la situación. Si en lugar de eso, tan pronto como observamos que nos estamos empezando a sentir incómodos en una situación podemos tomar un momento para utilizar la siguiente técnica, podemos escoger nuestra respuesta más tranquilos. El método es simple, pero requiere de mucha práctica aprender a estar conscientes de lo que está pasando e intervenir a tiempo, antes de que los sentimientos se nos salgan de las manos. Pruébalo contigo, y si logras responder con más tranquilidad tan sólo una vez, te dará la experiencia y la confianza para saber que lo puedes volver a lograr. Gradualmente vas a poder hacerte más cargo de las situaciones emocionales en que te encuentres.

La técnica "Detente"

La técnica "Detente" va a enseñarte cómo evitar que la situación emocional crezca o a aceptar y a enfrentar las emociones que surgen.

Cuando sientas que estás empezando a sentirte incómodo en una situación, enfréntala diciendo para ti mismo, en tu cabeza,

"¡Detente!"

e inmediatamente concéntrate en tu respiración. Ahora tienes de nuevo el control, aunque sea por un momento.

Aprovecha la ventaja de estar en control llevando rápidamente tu atención a tu abdomen y permitiendo que tu respiración se vuelva más lenta y profunda. Esto no te llevará mucho tiempo pero sí te dará un descanso de la situación potencialmente estresante. Esto te dará un momento para detenerte y dar un paso atrás, siendo más bien un observador de la situación, permitiéndote responder de una manera racional más que actuar automáticamente. Di para tus adentros "permanece tranquilo", *o* "tú puedes manejar esto" *mientras piensas cuál será tu respuesta.*

Recuerda, *no trates de reprimir o luchar con los sentimientos incómodos, esto sólo añade tensión. Concéntrate mejor en las acciones o las tácticas que vas a tomar. Trata de poner una parte de tu atención en tu respiración a medida que se desarrolla la situación.*

Descubrirás que al retirarte un poco de la situación no vas a hundirte con tanta facilidad en las emociones crecientes; esto te permitirá responder con más efectividad.

Sentir los sentimientos

Si, después de decir "detente" te inunda la emoción, sabe que todavía puedes manejar la experiencia eficientemente enfrentándote y sintiendo la fuerza de los sentimientos, haciéndote totalmente consciente de toda la emoción: "hoy me siento mal", "me siento muy triste", "me siento ansioso y con pánico" o cualquiera que sea la emoción.

Saber lo que estamos sintiendo es sanador en sí mismo. Al permitirnos aceptar y vivir la emoción completamente, con conciencia total, la podemos escribir para sacarla. La emoción tal vez nos afecte pero no estaremos totalmente en sus garras. Incluso podemos pensar, aunque sea fugazmente "¡cuánto dolor y sufrimiento puedo causarme!" Nos beneficiaremos al saber que las olas emocionales y las reacciones físicas crecerán, y caerán de nuevo y se tranquilizarán del otro lado. Las emociones y las reacciones físicas pasarán, siempre lo hacen.

Esta conciencia total y aceptación de la emoción y de las reacciones físicas generará sentimientos de bondad y de compasión hacia nosotros mismos a medida que crecemos y comprendemos que nuestras emociones pasarán y que las podemos manejar. Somos más que nuestras emociones, más que nuestro dolor. Concentrarnos en mantener una respiración diafragmática lenta ayudará a tranquilizarnos y relajarnos cuando fluyamos con las emociones.

La técnica para manejar los sentimientos extremos se puede resumir de la siguiente manera:

Detente y

enfrenta el sentimiento, no luches con él.

Acepta y *permite* que se presenten las reacciones físicas y emocionales.

Mira y *espera*, como un observador.

Concéntrate en la respiración abdominal (diafragmática) y profunda. Sabe que los sentimientos y las sensaciones pasarán.

Podemos descubrir dentro de la emoción algún elemento de "quisiera no haber dicho eso". La paz vendrá cuando aceptemos que el pasado se acabó y que no lo podemos cambiar. La paz vendrá cuando aceptemos lo presente, o lo que ha pasado, sin juzgarlo, rechazarlo o querer alterarlo de alguna manera. La aceptación no significa que nos guste la situación o que estemos resignados a ella, sino que aceptamos el incidente, cualquiera que sea, tal y como pasó; es un hecho, y no se puede alterar y el único camino de salida es avanzar y comenzar de nuevo. Esta actitud de aceptación puede llevar tiempo para crecer, pero nos es mucho más fácil cuando permitimos que pase, y podemos ayudar a que progrese con la técnica antes descrita de conciencia total y de sentir plenamente los sentimientos.

LA TÉCNICA "BUSCA EL ENTENDIMIENTO INTERIOR"

Las acciones o decisiones que tomamos en momentos en los que las emociones están exacerbadas tienden a estar coloreadas por nuestro razonamiento emocional o nuestras reacciones en lugar de provenir de nuestra sabiduría interior, así que resulta un mejor consejo esperar hasta que podamos tener acceso a esa parte sabia de nosotros antes de actuar. Este consejo en sí mismo puede ser de gran consuelo si estamos emocionalmente perturbados. Entendemos que la emoción pasará y que podemos actuar hasta que nos sintamos más tranquilos.

No siempre es posible detenernos y utilizar alguna técnica cuando las emociones están exacerbadas pero puedes utilizar posteriormente la técnica de "buscar el entendimiento" para ayudarte a identificar tus sentimientos cuando quizá te sientas "atorado" en una situación emocional. Utiliza la técnica tan frecuentemente como lo necesites; resulta de gran valor comprender tu vida emocional, lo cual te ayudará a concentrarte en tu interior y a ver el problema con claridad, permitiendo que entre en escena tu sabiduría natural. Practicar la técnica te dará fuerzas en el futuro cuando te enfrentes a las emociones exacerbadas. Con la técnica puedes pensar y escribir lo que verdaderamente sientes, sin limitaciones. La técnica de "buscar el entendimiento" está diseñada para que:

- Aceptes tus emociones al nombrarlas. Reconocer y asumir la responsabilidad de tus emociones es el principio del proceso de curación.
- Para que te abras a cualquier mensaje que venga de tus emociones.
- Descubras la enseñanza que está dentro de la emoción que te dará la libertad de ella. Este paso te ayuda a manejar la emoción de manera práctica y tal vez requiera que tomes alguna acción.

Cómo utilizar la técnica

Tómate cinco o diez minutos para ti y ponte cómodo(a) con papel y lápiz a la mano. Utiliza la técnica con una actitud abierta y relajada, con una actitud de bondad y compasión hacia ti mismo.

Pon tu atención en tu respiración y síguela con tu mente durante algunos momentos, dejando que se vuelva más lenta y profunda. Relájate; siéntete a salvo y seguro.

1 Identifica la emoción

Dibuja un círculo en la parte superior de una hoja de papel. En el centro del círculo escribe la perturbación emocional. Identifícala tan claramente como puedas; sé específico. Por ejemplo, "me siento enojado", o "me siento ansioso", o "me siento triste"... o cualquiera que sea tu preocupación emocional.

Ejemplo:

2 Reconoce los mensajes provenientes de la emoción.

Ve las palabras que escribiste en el círculo. Esto concentrará tu mente y permitirá que tus pensamientos reales salgan a la superficie. A medida que te lleguen los pensamientos, dibuja una pequeña línea a partir del círculo y escribe el pensamiento al lado. Lleva a cabo el ejercicio con una mente y un corazón abiertos. No hay necesidad de tratar de encontrar los pensamientos o de luchar con ellos, simplemente deja que surjan espontáneamente. Siempre toma nota de los primeros pensamientos que aparezcan en tu mente, sin importar qué tan triviales o poco importantes parezcan en el momento.

Sigue repitiendo "me siento..." (nombra la emoción) entre cada pensamiento. Escribe los nuevos pensamientos a medida que surjan, y sigue haciéndolo hasta que ya no surjan más pensamientos. Estos son los pensamientos que están detrás de la emoción. Esto es lo que te estás diciendo a ti mismo y lo que realmente estás sintiendo. Aunque te sorprendas por algunos de los pensamientos que te surjan, simplemente acéptalos. Quizá descubras que estás tapando algunas verdades acerca de tus sentimientos.

3 Entiende la emoción

Escribe la siguiente pregunta en una hoja de papel debajo de los pensamientos que escribiste antes.

"¿Qué necesito entender de mis sentimientos?"

Revisa tu círculo y los pensamientos que escribiste alrededor de él y hazte la pregunta. Cuando te hagas la pregunta abre tu mente y está receptivo a cualquier pensamiento que te llegue. Confía en tu intuición. No estás pensando con tu mente lógica acerca de la emoción sino que estás permitiendo que tu sabiduría interna salga a la superficie. Escribe el primer pensamiento o sentimiento que te llegue, cualquiera que sea. En este momento, escribe tus pensamientos en una columna debajo de la pregunta. Hazte otra vez la pregunta y escribe tu siguiente pensamiento. Sigue repitiendo la pregunta y escribe cada pensamiento que surja como respuesta a la pregunta. Sé totalmente honesto y escribe todos tus pensamientos, sin importar cuáles sean. Sigue escribiendo hasta que ya no salgan pensamientos a la superficie.

Estos mensajes te permitirán comprender las emociones que estás sintiendo. Las emociones, aunque puedan alterarte, son tus maestras. Aprenderás de la emoción y quizá entiendas más de ti y obtengas una percepción de "cómo trabajas emocionalmente". Cuando nos hacemos preguntas con actitud no crítica, no juiciosa y no escéptica, con bondad y compasión, permitiéndonos estar abiertos a cualquier respuesta, sin forzarlas o luchar con ellas, ocurren maravillas: nos sintonizamos con nuestro yo interior natural, quien nos dará respuestas sabias. En lo más profundo de nosotros sabemos lo que es mejor para nosotros y cuál es la verdad en alguna situación en particular. Podemos ayudarnos a nosotros mismos, pues todas las respuestas están dentro de nosotros.

4 Libérate de la emoción

Esta etapa te enseña cómo liberar los bloqueos emocionales. Escribe la siguiente pregunta y luego escribe las respuestas a medida que te lleguen.

"¿Qué puedo aprender de todo esto que me liberará de la emoción?"

De nuevo, toma la pregunta con una actitud abierta permitiendo que las respuestas surjan espontáneamente. Recuerda escribir los primeros pensamientos que aparezcan en tu mente.

Sigue haciéndote la pregunta y escribiendo cada pensamiento. Sigue haciéndolo hasta que te sientas mejor. Tal vez de un momento a otro puedas sentir "ya se acabó", o "ya entendí". Esto será la señal de que tienes la respuesta. Puede tomar la forma de un sentimiento de ligereza en tu interior, como si una luz brillante se prendiera e iluminara la situación. Vas a saber con certeza que tienes la respuesta y no necesitas buscar más.

5 Acepta la situación

La pregunta final que hacer es:

"¿Hay alguna acción que pueda llevar a cabo?"

Cuando preguntas "¿Hay alguna acción que pueda llevar a cabo?"... tal vez te des cuenta que no la hay; pero eso será una respuesta satisfactoria en sí. Algunas situaciones necesitan ser aceptadas tal como son. No podemos encontrar algo que hacer siempre en una situación, más que aceptarla como es.

6 Agradece a tu sabiduría interna su ayuda

El último paso, que es muy importante dar, es agradecerle a tu sabiduría interna por ayudarte. Entre más alabes tus habilidades internas, mejor te vas a sentir y más probabilidades tienes de acercarte a tu yo interior en otra ocasión. Estás desarrollando una relación con tu Yo interior sabio, y como todas las relaciones, necesita ser nutrida. Después de todo, tú eres quien se está alabando, y todos podemos trabajar bien con una cierta cantidad de halagos y aliento, y nunca son demasiados. Prosperamos a través de los halagos y necesitamos saber que nos aprobamos a nosotros mismos. Florecemos y crecemos en una atmósfera de apoyo, una atmósfera nutricia donde sabemos que se nos valora y respeta, especialmente que nosotros mismos lo hacemos. Si esto te parece difícil o vergonzoso al principio, una buena manera de darte las *gracias es imaginarte que estás expresando tu gratitud a un viejo y sabio amigo.*

Si descubres que hay alguna acción que puedes llevar a cabo, asegúrate de seguir tus buenos consejos y utilizar la información que obtuviste para planear cómo llevar a cabo la acción.

CÓMO DECIR LO QUE SIENTES SIN PROVOCAR UNA DISCUSIÓN

La comunicación cotidiana con otras personas puede ser difícil incluso en los mejores momentos, y cuando padecemos dolor crónico es incluso más importante aprender a comunicar bien nuestros sentimientos. Puede parecer obvio, pero a menos que digamos lo que queremos o sentimos, ¡nadie lo sabrá! Con frecuencia asumimos que la gente entiende lo que le estamos tratando de decir, y esperamos que de alguna manera "sepan" o adivinen lo que queremos decir o lo que queremos en realidad.

Entonces tal vez nos sorprendamos, nos enojemos o nos sintamos lastimados cuando la otra persona no responde como queremos. Con frecuencia las personas se hablan con un "código" o significado oculto; dicen una cosa cuando quieren decir otra. Esto hace muy difícil la vida y puede llevarnos a discusiones y malos entendidos.

Para poder satisfacer nuestras necesidades tenemos que ser capaces de decirle a los demás exactamente lo que queremos de manera directa, sencilla. Hay una habilidad o truco que le hará la vida más fácil a todos los involucrados.

> *Cuando estés tratando que las personas sepan cómo te sientes, siempre empieza con una aseveración e identifica tu emoción; por ejemplo, "me siento realmente alterado porque..." Si en lugar de eso, dices "Haces que me altere cuando....." pones a la persona a la defensiva y muy probablemente el resultado será que alguien se sienta mal.*

Esta forma directa de decir lo que sientes o quieres funciona muy bien porque la otra persona entiende lo que estás diciendo sin sentirse amenazada.

Otras formas de enfrentar las emociones

Tal vez haya ocasiones en que sentimos que no es adecuado utilizar las técnicas antes descritas y en esos momentos podemos utilizar algunos de los siguientes abordajes alternativos para aliviar la tensión emocional. Sabemos que la actividad física cambia muchas veces las emociones negativas, pero si tenemos dolor, tal vez no podamos ir a una caminata al campo o cortar un montón de leños. Sin embargo, podemos encontrar otras maneras de disolver los sentimientos alborotados y cambiar nuestro estado de ánimo.

Una manera excelente de liberar nuestros sentimientos, cualesquiera que sean, es escribirlos para sacarlos de nosotros. Algunas veces ni siquiera sabemos qué es lo que nos está haciendo sentir alterados; tal vez pensamos que sabemos, pero con frecuencia es algo que está mucho más allá de la situación, algo que provocó una respuesta emocional. El sacar las emociones es un proceso curativo en sí, porque se libera la energía emocional y ya no gobierna nuestra conducta. La actividad física de escribir contribuye a la liberación.

Escribe y sácalo

Cuando estemos escribiendo y realicemos el siguiente ejercicio no estaremos pensando en la emoción. Pensar en ella, repasarla una y otra vez, o analizarla, nunca hará que una emoción desaparezca: los sentimientos son para sentirse, no para pensarse. Vamos a experimentar el sentimiento, y al expresarlo físicamente en el papel, lo vamos a liberar. Resulta particularmente bueno utilizar esta técnica cuando estamos en medio de un hervidero emocional. Como con la técnica anterior en la que contactamos con nuestra sabiduría interior, estamos entrando en contacto con nuestro yo natural sensible, no con nuestro yo intelectual.

Vas a necesitar hojas de papel y un bolígrafo o algunos lápices.

1 *Asegúrate de tener un espacio para ti en el que no te interrumpan cuando estés escribiendo. Asegúrate de estar en una posición cómoda para escribir. Relájate haciéndote consciente de tu respiración a medida que entra y sale. Nota los movimientos de la parte inferior de tu tórax y de tu abdomen a medida que inhalas y exhalas y permites que tu respiración se vuelva más lenta y profunda.*

2 *Ahora recuerda el incidente que disparó la emoción en particular con la que quieres trabajar: enojo, miedo, envidia o lo que sea. Visualiza la escena tan vívidamente como puedas, tan detalladamente como sea posible, hasta que sientas que estás en contacto con la respuesta emocional a ese incidente. Cuando estés en contacto con la emoción tal vez la sientas como sensaciones físicas en el cuerpo: una sensación de tensión o mariposas en el estómago o sentimientos de presión o de calor, posiblemente en el estómago, en tu pecho, en la cara o en las áreas de la garganta.*

3 *Ahora puedes expresar la emoción en tu escritura para que se pueda dispersar de manera segura, sin dañar o confrontar a nadie. Escribe cualquier pensamiento que te venga, no censures nada, sin importar qué tontos o "impensables" sean*

los pensamientos; deja que corran. Simplemente deja que salgan los sentimientos. Quizá empieces a llorar o a hablar en voz alta cuando los sentimientos se vuelvan más fuertes. Eso es bueno, prosigue y escribe las ansiedades y los enojos: podrían relacionarse con cualquier incidente cotidiano, o con tu dolor o con cualquier otra cosa. Si es con el dolor, escribe cualquier pensamiento o sentimiento respecto al manejo del dolor, cualquier temor relacionado con si desaparecerá de nuevo, tal vez un enojo por tu tratamiento médico, por tu trabajo, y, sí, incluso el enojo con tu familia. Escribe todos esos pensamientos que no te atreverías normalmente a expresar. Déjalos salir. Este es el lugar para deshacerte de ellos. No te preocupes si rompes la punta del lápiz cuando dejes salir tus frustraciones, toma otro lápiz y prosigue.

4 *No revises lo que has escrito, debes seguir escribiendo. Probablemente descubras que escribes cada vez más rápido, especialmente si la emoción que estás sintiendo es enojo. Puedes insultar en el papel, no importa, nadie más lo va a ver, nadie te va a criticar. Deja que la ortografía, la gramática o cualquier otra consideración en la escritura normal se vaya por la ventana; puedes dejar las oraciones sin terminar si tus pensamientos son demasiado rápidos para que los escribas. No revises lo que escribes, sólo escribe.*

5. *Sigue escribiendo hasta que te sientas en paz y libre de la emoción. Sabrás cuando la emoción se haya acabado.*
6. *Ahora te sientes más tranquilo, destruye la hoja de papel sin leerla. Rómpela en pedacitos o quémala, pero no la leas.*
7. *Como siempre, date las gracias y alábate por liberar las emociones de esta manera.*

Mientras haces este ejercicio quizá descubras muchas verdades respecto a lo que sientes, cosas que hayas escondido incluso de ti mismo. Una vez que estén expuestas estarás libre de ellas, y si se requiere que lleves a cabo alguna acción, puedes manejarlo racional y positivamente. Comprender tus emociones es crucial para estar más tranquilo aún con ellas. Por ejemplo, una amiga que tenía un ataque de dolor hizo este ejercicio cuando estaba muy alterada y enojada por no poder asistir a un compromiso que había hecho hace mucho tiempo. Después del ejercicio de escritura descubrió que había destapado un miedo profundo de ser abandonada, y de no poder manejar su vida por ella misma. Entonces pudo enfrentar ese hecho y trabajar en cómo salir adelante en esa situación. Después se sintió segura y mucho más tranquila. Descubrió que una vez que entendió los miedos que había detrás de su enojo ya no se sentía tan enojada. Ahora, cuando se encuentra en situaciones similares, puede decir para sus adentros, "¡Aquí voy de nuevo! Estoy saliendo adelante muy bien y siempre voy a encontrar maneras de salir adelante. Por ahora me voy a concentrar en lo que puedo hacer."

Cuando expresas tus frustraciones y sentimientos en papel como en este ejercicio te liberas de ellos. Utilízalo con mucha frecuencia.

Utiliza el poder de la imaginación para disolver las emociones no deseadas

Las siguientes técnicas sencillas utilizan el poder de la imaginación para cambiar sentimientos indeseables. Cuando utilices tu imaginación de la siguiente manera, asegúrate de que tengas unos cuantos momentos para ti en los que no te interrumpan. Siéntate o acuéstate con la mayor comodidad posible, poniendo tu atención en tu abdomen durante algunos momentos, y dejando que tu respiración se vuelva más lenta y profunda antes de que empieces.

El río

Imagínate que toda la energía emocional indeseable sale de ti y va a tu mano, donde la puedes condensar y formar una piedra. Siente la piedra en tu mano durante un momento, y con tu imaginación, tírala lo más lejos que puedas de ti a un río donde va a ser lavada de todos los sentimientos negativos. Imagínate como se disuelven las emociones, y que, igual que el lodo, se van con el agua y van a dar al mar donde no pueden dañar a nadie. Disfruta la sensación de alivio.

Visualización de actividades físicas

Si estuviéramos completamente en forma podríamos dispersar la energía negativa de una manera segura brincando con vigor, o sacudiendo el cuerpo. Aquellos de nosotros a quienes esos ejercicios físicos no nos son posibles de realizar o no son aconsejables podemos utilizar la visualización como recurso para imaginarnos una actividad física energizante como sustituto de la actividad física real para cambiar nuestro estado de ánimo. Si no puedes cortar toda esa pila de leños o ir a caminar, visualiza que lo estás haciendo con gran detalle, sintiendo realmente todos los movimientos y sensaciones físicas. Crea una imagen completa en tu mente con tantos detalles de los lugares y sonidos como puedas. Por ejemplo:

Visualízate en un lugar abierto en un esplendoroso día de otoño. Hay un montón de troncos frente a ti. Ve y siente la textura del tronco cuando lo recoges y lo pones arriba de otro plano. Tienes un hacha en la mano. Siente el peso del hacha. Mide el tronco con la vista, balancea el hacha hacia abajo y por detrás de ti y súbela hasta tocar el leño que está más arriba y ve cómo se parte en dos. Continúa haciendo esto hasta que tengas un montón de leños cortados y listos para hacer una fogata. Utiliza tu imaginación para visualizar todos tus problemas y preocupaciones emocionales convirtiéndose en hojas. Imagínate que estás barriendo las hojas con una escoba para jardín. Siente cómo el fuerte viento se lleva las hojas y se las lleva lejos, fuera de tu vista.

Barre las energías negativas indeseables

También podemos dispersar la negatividad indeseable "barriéndola".

Empieza con tu cara, poniendo una mano a cada lado de tu frente, con las palmas hacia tu cara, sin tocar la piel. Ahora barre los sentimientos haciendo un ligero movimiento con los dedos como si estuvieras disipando neblina o humo. Barre esos sentimientos de tu cara, de debajo de tu barba, luego de tu frente y de la parte de atrás de tu cabeza. Algunas veces te puedes tocar, y otras no; no importa. Luego puedes hacer lo mismo con todo tu cuerpo, o con las partes que puedas alcanzar; partiendo del centro de tu pecho, por cada uno de los hombros y los brazos y bajando por tu cuerpo, tan lejos como puedas llegar, terminando con los dedos de los pies. Barre con los últimos vestigios de negatividad. Si no puedes alcanzarte los dedos de los pies, barre en el aire en dirección a tus pies. Puedes descubrir que sientes como si algunas áreas necesitaran barrerse más que otras. Cuando hayas barrido los sentimientos, quizá te gustaría calmarte de la siguiente manera.

Cómo calmarte

Esta vez, a medida que recorres tu cuerpo, acaríciate, como si estuvieras peinando plumas o el pelaje de un animal, algunas veces tocando tu cuerpo y otras no. Empieza con tu cara y cabeza y trabaja hacia abajo hasta donde puedas llegar. Después siéntate quieto durante algunos momentos, dejando que tus pies se hundan en el piso. Disfruta los sentimientos de tranquilidad que ahora vas a tener.

Una cápsula mágica

Si descubres que tienes dificultad para manejar una situación o una persona en particular, tal vez quieras probar el ejercicio de "protegerte" de su influencia utilizando los poderes de tu imaginación de la siguiente manera.

Imagínate que estás rodeado por un aura de luz dorada. En tu imaginación, deja que la luz flote a tu alrededor de tal forma que si alguien la pudiera ver, parecería como si estuvieras dentro de una bella cápsula dorada. Ahora imagina cómo la superficie exterior de la cápsula dorada mágica se endurece y engruesa para formar una barrera impenetrable entre tú y la persona o situación que te perturba. Vete emocional y mentalmente poderoso y fuerte dentro de tu "concha". Sabe que nada, ni palabras, ni acciones, te pueden dañar. Puedes decir para tus adentros: "Soy fuerte y estoy protegido", o "yo soy el poder que rige mi vida." Escoge palabras que te hagan sentir cómodo. Vete sonriendo, fuerte e invencible, sin ser afectado por ninguna situación en la que te encuentres.

Prueba este método y ve si puedes mantener tu cápsula mágica en una situación difícil. Escoge una situación que no sea tan amenazante para empezar, mientras todavía estás desarrollando tu imaginación. Como la mayoría de las habilidades, esta técnica de la "Cápsula mágica" se volverá cada vez más efectiva con la práctica.

Un manto de invencibilidad

Una variación del mismo tema que la "cápsula mágica" es el "Manto de invencibilidad".

Ponte tu "manto de invencibilidad" en tiempos de estrés. Imagínate que tienes un manto especial, que puede ser de oro o de plata, o un manto de terciopelo con motivos plateados (tú escoge tu prenda de protección). Imagínate que una vez que te pones este manto te protege de influencias externas y te sientes seguro y poderoso dentro de él.

Este es otro recurso mental, otro "truco" mental, pero no importa. Si te funciona, úsalo. Sé receptivo a las nuevas ideas y pruébalas.

Afiánzate

Cuando descubras que te estás dejando llevar por cualquier sentimiento y necesitas tomar de nuevo el control, literalmente baja a la tierra. Practica el siguiente ejercicio de afianzamiento para regresar a tu territorio tranquilo, en donde quien tiene el control eres tú. Al afianzarte en la tierra te vuelves a conectar con la tierra o la superficie que está debajo de tus pies; entonces te tranquilizas y obtienes el control.

> *Ya sea sentado o parado, pon los pies en el suelo o en la tierra. Deja que tu peso se hunda en el piso. Muévete de atrás hacia delante y de lado a lado, para que sientas un contacto real con el piso o la tierra antes de que te aquietes. Asegúrate de que los dedos de los pies no estén curveados y que haya un poco más de peso en los talones. Cuando estés quieto, vuélvete cada vez más consciente del contacto con la tierra. Deja que tu peso se hunda en el piso. Te estás reconectando con la tierra, te estás volviendo parte de la tierra misma, como un viejo roble cuyas raíces van a lo profundo de la tierra y te anclas en la tierra misma. Como en el caso del*

roble, la tierra te nutre y fortalece. Las tormentas pueden irrumpir alrededor del roble, pero sigue firme y no se ve afectado. Te sientes totalmente seguro por el lugar que ocupas en la vida y te llenas con la sensación de pertenecer a toda la naturaleza.

Practica primero este ejercicio solo y luego ve si puedes mantener tu sentimiento de estar enraizado firmemente cuando estás con otras personas o estás alterado emocionalmente, adolorido o cansado. Esto te ayudará a permanecer tranquilo, en contacto contigo mismo y en control.

FOMENTA LAS EMOCIONES POSITIVAS

En este capítulo se ha puesto mucho énfasis en las emociones negativas. El capítulo no estaría completo si no mencionamos nuestras emociones positivas. Cuando experimentamos dolor, quizá sintamos estas emociones positivas con menor frecuencia, pero podemos hacer mucho para fomentarlas. Así que saborea esos pequeños momentos de placer, aprovéchalos al máximo, expándelos: no dejes que se te resbalen casi sin notarlo. Sólo podemos beneficiarnos si maximizamos cada trago de alegría que encontremos en nuestra vida.

Maximiza el momento

1 *Trata de estar más consciente de cuándo estás teniendo más placer, cuándo te sientes más feliz, generoso, agradecido, divertido o con cualquier emoción positiva. Nota qué fue lo que te hizo responder de una manera positiva y ve si puedes repetir el evento dándole salida a la emoción.*

2 *Cuando notes que tienes un sentimiento fugaz de placer, por ejemplo, cuando completas una tarea pequeña como bañarte, maximízalo dándote cuenta de lo que realmente estás haciendo: ve las burbujas sobre los platos, el montón de platos, los cubiertos brillantes, las ollas limpias, siéntete complacido contigo mismo; no subestimes el placer de estos momentos breves de placer, eso te lleva a tener una actitud totalmente diferente hacia la vida.*

3 *Lee el capítulo 8 titulado "Disfruta" y asegúrate de encontrar un momento todos los días en el que te diviertas activamente, aunque sea algo muy simple.*

4 *Haz algo creativo todos los días. Cuando somos creativos estamos en contacto pleno con nuestra sabiduría y nuestros poderes interiores. Estamos plenamente felices y contentos. No importa lo que estés haciendo, haz que tu atención esté completamente activa utilizando el poder creativo de tu mente.*

5 *¡Sé sensorial! Descansa en tus sentidos. Disfruta tus alimentos favoritos, tus bebidas, los lugares que te gustan, fragancias y sensaciones táctiles favoritas. Inclúyelas en los "pedacitos de placer". Planea tener "sesiones sensoriales" especiales en las que todos los sentidos sean atendidos. Escoge un tiempo para ti y planea disfrutarlo al máximo. Tu plan especial puede ser por ejemplo, cuando te bañas, cuando te vistes por la mañana, cuando comes, o quizá sentarte o caminar en el jardín o en el parque. Extiende y agranda tu disfrute. Realmente aprovecha al máximo la ocasión que escojas.*

Por ejemplo, para hacer una "sesión sensorial" en el jardín o en el parque ponte tu ropa favorita, vieja o nueva. Escoge el camino para irte, y aprecia todos los detalles de las plantas y las flores, su perfume, textura, patrón de crecimiento y color. Fíjate en los animales y los insectos que hay y obsérvalos intencionalmente; observa cómo se mueven y lo que están haciendo. Involúcrate totalmente en sus actividades. Huele el aire, percátate del viento, del sol, de las nubes. Observa la superficie sobre la que estás parado y cómo se siente y cómo suena. Quizá puedas tomar o comer un refrigerio para utilizar tu sentido del gusto. Trata de hacerte consciente de ti y de tus pies en contacto con el suelo que estás pisando, de tu respiración cuando entra y sale. Siéntete completamente vivo y unido con todo lo que te rodea.

Acomoda tu horario para tener una "sesión sensorial" con frecuencia.

Aligéralo

Nuestro sentido del humor se puede enmohecer, como cualquiera de los demás sentidos, así que es muy útil hacer tiempo deliberadamente para reírse. Así que si te das un tiempo para agudizar tu "sentido de lo divertido" tendrás menos tiempo para otras emociones y mejorarás tu calidad de vida. Todos nos tomamos la vida demasiado en serio y los expertos de esta época nos dicen que la risa nos hace mucho bien. El efecto de reírse es el mismo que el de la relajación, pues da pie a que nuestro cuerpo produzca esas aliviadoras endorfinas, los analgésicos naturales del cuerpo. Así que haz un esfuerzo mayor para incluir la carcajada en tu vida, y por encima de todo, está listo para reírte de ti mismo cuando estés enredado en algo.

Podrías hacer una colección de libros de humor, caricaturas, videos, y películas cómicas y verlas frecuentemente. Ten cuidado con lo que ves en la televisión; muchos programas, especialmente los noticiarios, pueden tener un efecto negativo y depresivo. Mejor elige programas que te levanten el ánimo en vez de preocuparte.

El humor siempre aligerará la atmósfera tensa, así que trata de tenerlo cuando puedas. Algunas veces, cuando descubrimos que estamos alterados por un incidente con otra persona, podemos cambiar nuestra respuesta alterando nuestra manera de pensar respecto a ella. ¡Usa tu imaginación y sé silenciosamente malo!

Imagina que la persona que te ha hecho enojar está en una situación muy ridícula. En tu imaginación ponle ropa con la que se vea ridícula. Sé tan creativo como puedas: ponle una nariz roja, un sombrero de payaso o unos shorts fluorescentes. Ve cómo se comportan como si estuvieran locos, como bufones; quizá se desnudan o se suben a la mesa y bailan en plena junta de trabajo. Luego imagínatelos en la situación que te hizo enojar. Esto pondrá un reflector totalmente diferente a la situación y te sentirás mucho mejor.

Háblalo

Finalmente, recuerda hablar de tus sentimientos. Si tus amigos o tus familiares no están contigo cuando necesites hablar, utiliza el poder de tu imaginación.

Imagínate que en una silla frente a ti está un viejo y confiable amigo a quien le puedes contar cualquier cosa. Cuéntale a tu amigo lo que está en tu mente y en tu corazón. Sé completamente franco y díselo todo. Puedes llevar este ejercicio más allá e imaginar que te cambias de lugar con tu amigo y que te conviertes en tu amigo. Puedes cambiar de lugar físicamente e imaginarte que ahora eres el sabio amigo que te está mirando y dándote consejos, tal y como te los daría tu viejo amigo.

No, no es una locura empezarte a hablar a ti mismo de esa manera. Verbalizar nuestros sentimientos es terapéutico, pues con frecuencia no sabemos realmente lo que estamos sintiendo hasta que lo expresamos en palabras. La respuesta a nuestros problemas ya está dentro de nosotros. Utiliza este ejercicio para entrar en contacto y utilizar tu propia verdad interior.

Toca

Una de las prácticas más terapéuticas es expresar nuestras emociones positivamente con el toque físico de otra criatura viva. Lo mejor es un abrazo a un familiar o a un amigo. Ve si puedes hacer de darle un abrazo a alguien o acariciar a una mascota una práctica diaria. Hazles saber cómo te sientes. Demuestra tu amor y dales las gracias simplemente por ser quienes son. Recuerda que todos necesitamos y queremos ser amados y apreciados.

Hay muchas técnicas e ideas en este capítulo. Léelas todas o escoge de entre ellas. Prueba cualquiera de las ideas que te parezcan más adecuadas. Vuelve a leer el capítulo tantas veces como lo necesites.

Todas estas técnicas son alcanzables. Tu sabiduría interior siempre está ahí para ayudarte: deja que lo haga.

LINEAMIENTOS DE ACCIÓN

1 Trata de hacerte consciente cuando te estés involucrando en algo emocional y utiliza la táctica de "Detente", "La cápsula mágica", "El manto de invencibilidad", o "Afiánzate" para ayudar a que las emociones no se exacerben.

2 Utiliza la técnica de "Busca la comprensión en tu interior" para ayudarte a manejar un problema.

3 Enfrenta y acepta cualquier emoción que se produzca como reacción a una situación.

DETENTE y *siente los sentimientos*.

Enfrenta los sentimientos y *no luches con ellos*.

Acepta y *permite* que ocurran las reacciones emocionales.

Sabe que los sentimientos y las sensaciones pasarán.

4 Si tienes ganas de llorar, llora; si te sientes enojado, golpea una almohada. Como alternativa puedes escribir tus emociones para sacarlas de

ti. Trata de no lanzar tus emociones a las personas cercanas. Cambia un estado de ánimo negativo por una acción positiva tan rápido como puedas.

5 Anota las técnicas que te gusten para que cuando enfrentes una situación difícil en particular sepas cómo manejarla.

6 Recuerda que no podemos cambiar a otras personas, sólo nos podemos cambiar a nosotros mismos.

7 Habla tus emociones con tu familia, tus amigos, algún grupo de ayuda, un consejero o un profesional; o prueba la técnica del "Amigo imaginario" descrita en la página 163.

8 Los demás no pueden adivinar lo que quieres. Díselos de manera directa. Diles lo que necesitas o expresa tus necesidades o deseos con un enunciado que empiece en primera persona. Comienza, "Me siento enojada", "Me gustaría que..."

9 Haz una lista de dónde obtienes apoyo emocional. Incluye a tus amigos, tus familiares, tus consejeros, los grupos de ayuda, doctores, etc. ¿Necesitas apoyo extra? Haz una lista de a quién le puedas pedir información e investiga todas las posibilidades.

10 Piensa en dar apoyo a otras personas. Es mediante la contribución y mediante la ayuda

que le brindamos a otros que nos sentimos satisfechos. ¿Alguno de tus talentos, pasados o presentes, puede ser de utilidad para ayudar a otras personas?

11 Siempre fomenta las emociones positivas, pues al buscar y maximizar las emociones positivas mejoramos nuestra vida y fomentamos que nuestros procesos naturales de curación fluyan. Ejercita siempre tu sentido del humor.

12 Siempre sé compasivo contigo mismo.

UNIDAD 6

Encuentra la tranquilidad interior

ÍNDICE

Siéntate tranquilamente 171

Siéntate y respira 175

Éxito con la práctica de "siéntate y respira" 177

Tu mente vagabunda 178

Una sensación de ligereza 181

Cómo manejar el dolor 182

Variaciones del método básico 183

Repite y respira 184

Escucha y respira 185

Camina y respira 186

Sé y respira 188

Cómo mantener la atención 190

Lineamientos de acción 192

SIÉNTATE TRANQUILAMENTE

Sentarse tranquilamente es una forma maravillosa de obtener relajación y paz mental en tu vida. Hacerlo tiene el potencial de maximizar tus habilidades naturales de curación y apoyarte física y emocionalmente. Aunque la técnica se refiere a "sentarse", si se te hace difícil hacerlo, por supuesto puedes recostarte. Muchas personas escogen sentarse tranquilamente o llevar a cabo algunas variaciones de este ejercicio para sus necesidades de manejo del dolor y como un sistema de apoyo para momentos de tensión.

El simple hecho de sentarse, tranquilamente, puede traer beneficios extraordinarios durante la sesión en sí. Su valor también puede trasladarse a la vida diaria y tener efectos benéficos sobre muchos aspectos de nuestro ser. Sentarse de esta forma es muy diferente al método de relajación utilizado en la Unidad 1. Esta vez estamos aprendiendo a permanecer alertas, observar lo que está ocurriendo, y, sin embargo, seguir teniendo una postura relajada.

Sentarse tranquilamente trae muchos beneficios, entre ellos:

- Obtenemos tolerancia hacia nosotros mismos, hacia otros y hacia la situación en la que nos encontramos.

- Nos sentimos más despiertos y alertas, y, no obstante, relajados.
- Nos causa placer hasta el más mínimo detalle de nuestro día.
- Aprendemos a responder a situaciones y eventos de una forma calmada.
- Nuestra capacidad de concentración mejora.
- Vemos los problemas más claramente y encontramos soluciones más fácilmente.
- Tomamos decisiones racionales sobre lo que en realidad necesitamos hacer en una circunstancia en particular.
- Todas nuestras funciones corporales mejoran, incluyendo nuestro sistema inmunológico y nuestros sistemas naturales de curación.
- Encontramos un poderoso centro de tranquilidad en nuestro interior aún cuando nuestra mente pueda estar en caos.
- Aprendemos a enfocar nuestro dolor con compasión y, a través de nuestra respiración, lo suavizamos y disipamos.

Cuando aprendemos a sentarnos tranquilamente podemos darnos a nosotros mismos toda la atención. No hacemos esto con frecuencia. En medio de nuestra actividad podemos detenernos unos momentos y recuperar la paz y la serenidad, haciendo que ese pequeño espacio de tiempo realmente cuente para nosotros. Tendemos a andar con prisas todo el día, presionándonos para completar todas nuestras tareas, aun cuando sean cosas que *nos gusta* hacer y hemos escogido hacer. Con frecuencia podemos pensar que "se nos está acabando el tiempo" durante el día porque nos hemos asignado muchas cosas para hacer. O es posible que si no podemos hacer mucho físicamente nos presionemos con nuestros pensamientos y sentimientos.

Si estamos perdidos en nuestros pensamientos y actividades, perdemos muchos momentos preciosos al no estar completamente "despiertos" y conscientes del presente. Piensa en las veces en que has hecho un trabajo en "piloto automático" y, al final de él, te preguntas dónde has "estado" y en qué estabas pensando. Mientras tanto, el mundo a tu alrededor pasó completamente desapercibido para ti. Es muy fácil que vivamos nuestra vida en una especie de estado semiconsciente como éste, viviendo con constantes repeticiones de nuestros muchos pensamientos, que con frecuencia son pensamientos de ansiedad por el futuro o de preocupación por el pasado. Si vivimos de esta manera podemos perdernos de todos aquellos pequeños pero maravillosos acontecimientos, como la forma de una flor, el patrón de vuelo que sigue un pájaro al volar, las actividades de una abeja, las formaciones de nubes y el color del cielo, la forma elegante en la que se mueve un gato, el aroma de una planta junto a la que pasamos, las gotas de lluvia que caen en la ventana, una hermosa pintura, un diseño arquitectónico agradable, el sonido del canto de un pájaro en el silencio entre el ruido del tráfico, etc. Es el reconocimiento y la acumulación de todos estos momentos de quietud lo que puede marcar la diferencia entre un día apresurado y frenético y un día feliz y satisfactorio.

Cuando aprendemos a estar atentos a nosotros mismos, estamos más vivos, tranquilos y en paz. Nos volvemos más conscientes de lo que está pasando dentro y fuera de nosotros, aceptándolo tal y como es, sin tratar de cambiarlo de ninguna forma. A medida que seguimos practicando el método, aprendemos a tener una vida más plena y más alegre. Desarrollamos un sentido más profundo de nosotros mismos y de la conexión que tenemos con todo lo que nos rodea en nuestro mundo y estamos contentos con ser quienes somos. Vamos más allá de los deseos del mundo cotidiano hacia nuestro centro verdadero y tranquilo donde siempre hay paz y tranquilidad.

Suena fácil: simplemente sentarse tranquilamente y tener todos estos beneficios. Sin embargo, como la mayoría de las cosas que vale la pena tener, tenemos que aprender un poco sobre ello para entender lo que está pasando. Esto es debido a que cuando nos sentamos tranquilamente nos hacemos conscientes de que nuestra mente produce una cascada infinita de pensamientos en la que es muy fácil involucrarse. Esto es perfectamente normal. Nuestra mente produce una cantidad infinita de pensamientos, uno detrás de otro, sólo que por lo regular no lo notamos. Sentarse tranquilamente sin nada que hacer permite que todos estos pensamientos y sentimientos se presenten delante de nuestra atención. Después de un minuto o dos de permanecer sentado, probablemente empecemos a sentirnos incómodos y a querer movernos o levantarnos. Así pues, para ayudarnos a poner atención, escogemos un foco para nuestra mente. Le damos a nuestra mente algo en lo que se sostenga, algo a lo que pueda regresar cuando nos demos cuenta de que nuestra atención ha estado divagando. Este foco de nuestra atención puede ser un diseño sencillo, una flor, una palabra o frase, un sonido, la chapa de una puerta, literalmente cualquier cosa. Sin embargo, como una práctica básica, vamos a poner atención a la entrada y salida de nuestra respiración. Nuestra respiración es un foco muy conveniente pues siempre está a nuestra disposición y no requiere ninguna preparación especial. Todo lo que se requiere es un lugar tranquilo y cómodo para sentarnos o recostarnos.

SIÉNTATE Y RESPIRA

Esta es la técnica básica para Sentarse Tranquilamente

> *Encuentra un lugar tranquilo y cómodo donde no seas molestado por el tiempo que te sea necesario (de 5, a 15 o 20 minutos). Puedes*

sentarte o recostarte, pero está consciente de que si te recuestas puedes quedarte dormido. Para tener éxito en la técnica "siéntate y respira" necesitarás estar bien despierto. No es necesario que te sientes de una forma especial, pero sí siéntate tan derecho como puedas sin provocar ninguna tensión muscular extra. Esto es para ayudar a que te mantengas alerta. Puedes recargar la cabeza si así lo deseas. Lo más importante es que estés cómodo, pero no tan relajado como para que te adormezcas.

Cierra los ojos y lleva tu atención a tu abdomen y observa como sube y baja mientras tu respiración entra y sale de tu cuerpo.

Viaja en tu mente por todo tu cuerpo, relajando y soltando cada parte a la que vayas llegando. Comienza por tus pies y sube por tu cuerpo, terminando con tu cabeza y rostro.

Mientras respiras por la nariz, está consciente de tu respiración a medida que entra y sale de tu cuerpo. No trates de alterarla de ninguna manera, simplemente síguela mientras entra y sale. Observa cualquier movimiento de tu pecho y cuerpo, y luego sigue tu respiración a medida que, a su propio ritmo, sale nuevamente a través de tu nariz. Simplemente siéntate y obsérvala.

Cuando notes que tu atención ya no está en tu respiración, simplemente observa los pensa-

mientos y, sin criticarte o impacientarte, deja que los pensamientos se vayan y suavemente trae tu atención de regreso a tu respiración otra vez.

Continúa haciendo esto, comenzando con una práctica de 5 minutos y llegando al menos a 10 minutos diarios, preferiblemente de 15 a 20. Puedes checar el tiempo de vez en cuando y luego, si así lo deseas cuando se haya acabado el tiempo, abre los ojos y permanece tranquilo durante otro poco de tiempo, disfrutando los sentimientos que has generado. Lleva contigo estos sentimientos tranquilos y calmados a medida que lentamente regresas a la actividad.

Éxito con la práctica de "siéntate y respira"

No es necesario que te preocupes por cómo lo estás haciendo; todo lo que interesa es que lo estás haciendo. La mejor manera de tomar la práctica es "No sé si esto va a funcionar, pero vamos a ver qué pasa." Una actitud como esta es uno de los aspectos más importantes de todo el ejercicio. Ayuda a que dejemos de juzgar o criticar y nos permite acercarnos a la práctica con una mente abierta.

Todos pueden beneficiarse de la práctica de "Siéntate tranquilamente". No tienes que ser una cierta clase de persona. Es una habilidad con la que nacemos. Como muchas otras de nuestras habilidades, para mejorar necesitamos práctica y más práctica. A medida que avances descubrirás que tus niveles de atención y concentración habrán mejorado y estarás más alerta y consciente de tu mundo. Si en tu práctica tienes una actitud compasiva hacia ti miso, esto se convertirá en una visión más compasiva de los demás y del mundo. Realmente no pasa mucho tiempo antes de que se noten en tu vida diaria los beneficios de esta práctica de "siéntate tranquilamente", haciendo que los momentos sean cada vez más intensos. Puedes descubrir que eres capaz de mantener una postura calmada en medio de todo tipo de episodios difíciles en tu vida.

Tu mente vagabunda

Sentarte de esta forma es una meditación, una meditación conocida como "atención". La meditación simplemente significa "poner atención", y como su nombre mismo lo indica significa que estamos poniendo plena y total atención a la respiración, que nuestra mente está llena de nuestra respiración y, a veces, de ninguna otra cosa. Cuando te sientas de esta manera, meditando conscientemente en la respiración, tu mente divaga. Lo que importa es cómo te enfrentas con esto cuando sucede. Lo importante es la calidad de *cómo* traes tu atención de regreso al foco: tu respiración. Cuando descubras que has estado "fuera", siguiendo un pensamiento, trae tu atención suavemente a tu respiración, sin criticarte de ninguna forma. Simplemente observa que tu atención ha divagado y concéntrate nuevamente en la respiración. Haz esto cuantas veces sea necesario, sin pelear o luchar con los pensamientos, simplemente observándolos, dejándolos ir, y regresando a tu respiración. Tal vez tengas que hacer esto 20, 50 o 100 veces, no importa. Los pensamientos gradualmente disminuirán y serás capaz de extender tu tiempo de meditación conforme adquieres más práctica. Esta divagación y traer de regreso la atención le sucede a todo mundo, sin importar quiénes son o durante cuántos años han estado practicando.

Puedes comenzar a darte cuenta de que no importa cuáles sean los pensamientos, son simplemente eso, pensamientos, y no *tienes* que seguirlos. Gradualmente aprenderás a observar los pensamientos cuando surgen y podrás dejarlos pasar sin asirte de ellos. La meditación no consiste en *detener* estos pensamientos y sentimientos cuando te vienen a la mente. No son "malos" o "buenos"; simplemente nuestra mente *produce* pensamientos, uno tras otro, y esa es la forma en la que la mente trabaja. Todas las partes de tu cuerpo tienen funciones diferentes. Tu estómago digiere la comida, tus pulmones intercambian oxígeno por dióxido de carbono, tu corazón bombea sangre alrededor de tu cuerpo, y tu mente produce pensamientos; ese es su trabajo. Tú no eres tus pensamientos tal y como tú no eres tu estómago.

Tu verdadero "yo" es la conciencia que está detrás de los pensamientos y no tienes que responder a los pensamientos si no quieres. Tienes la posibilidad de *escoger*; puedes escoger entre seguirlos o desecharlos. Tu conciencia, el "yo" que está detrás de tus pensamientos, puede escoger qué camino tomar. Una vez que puedes apreciar que los pensamientos no son "tú", y que no son parte de ti como tu cabello lacio u ondulado, sino que son producidos por ti, y que no tienes que estar a merced de ellos, habrás obtenido un conocimiento sumamente poderoso.

Mientras meditas puedes notar que tus pensamientos cambian de un tema a otro muchas veces, pero que ciertos pensamientos regresan una y otra vez. Observa qué clase de pensamientos son recurrentes, y déjalos ir. Cuando estamos atentos de esta forma no estamos tratando de interferir con, censurar o suprimir nuestros pensamientos. Lo único que estamos buscando controlar es nuestra *atención*: nuestra atención en nuestra respiración. No estamos luchando por "llegar a algún lado" o sentirnos de una forma especial. Nos estamos permitiendo ser lo que somos en ese momento y en el siguiente momento, sin interferir de ninguna forma. Así pues, no estamos tratando de estar "calmados", "felices" o elevados espiritualmente; simplemente estamos siendo *como somos*. Esto es, completamente despiertos y conscientes, alertas a este momento. Estamos aceptando lo que está a nuestro alrededor y dentro de nosotros, ya sea doloroso o agradable; no estamos luchando contra la realidad o suprimiéndola. No deberíamos tratar de analizar o detener pensamientos o sentimientos de ninguna manera, sin importar cómo son, sino simplemente aceptarlos como son y dejarlos ir. Podrían referirse al dolor, recuerdos del pasado, ansiedades o planes para el futuro, fragmentos de canciones o conversaciones, la siguiente comida, sensaciones placenteras o cualquier otra cosa. Los pensamientos y sentimientos pasan mucho más rápidamente, sin importar qué tan fuertes parezcan en ese momento, si podemos aceptarlos tal y como son, simplemente como *pensamientos*. Como no somos nuestros pensamientos sino la conciencia que está detrás de los pensamientos podemos *escoger* entre si respondemos o no a esos pensamientos. Cualesquiera que sean éstos, deberíamos continuar observándolos con calma, permaneciendo atentos a nuestra respiración.

Una sensación de ligereza

Este dirigir y mantener la atención en la respiración puede ser muy cansado, especialmente las primeras veces, por lo cual es necesario comenzar con sesiones cortas de tan sólo unos minutos, aumentando gradualmente a periodos mayores en los que estamos sentados a medida que adquirimos mayor práctica. También puede ser útil que nos acerquemos a la meditación con una sensación de ligereza. La meditación no debería ser un momento serio y "pesado". Intenta sentarte con la mandíbula relajada, tus labios ligeramente separados en una sonrisa a medias, con la lengua reposando suavemente en la parte baja de tu boca. Al mantener esta expresión se transmitirá un mensaje que diga "serénate" a tu yo interno. Esta sonrisa a medias te permitirá liberar cualquier tensión y te permitirá sentirte más abierto, permitiendo que la sesión se desarrolle y fluya libremente sin que tú interfieras en ella.

Cómo manejar el dolor

Si descubres que tienes conciencia del dolor durante la meditación intenta enfocarlo de la siguiente manera:

> *Mientras respiras, hazte totalmente consciente de tu respiración y síguela mientras llevas la respiración directamente al dolor. Mantén tu atención y tu respiración ahí, dentro y alrededor del área afectada. Deja que tu respiración sea tu foco mientras inhalas y exhalas. Mantén la atención en tu respiración todo el tiempo, mientras fluye dentro y fuera del dolor. Sigue metiendo y sacando la respiración dentro y fuera del área adolorida hasta que notes que las sensaciones disminuyen o cambian. Esto puede parecer una tarea dura pero al confrontar el dolor de esta forma el área se relaja y se calma. Si tomamos*

el camino opuesto y tratamos de ignorar o rechazar el dolor, tenderemos a contraer el área, lo cual, por supuesto, provocará que sintamos más dolor. Así pues, sé valiente, lleva tu respiración al dolor y respira curación y calor al interior de ese dolor.

Si en verdad necesitas moverte por la intensidad del dolor, no hagas nada al principio. Simplemente DETENTE antes de hacer algo; esto te dará la oportunidad de moverte en una forma organizada y suave, en vez de agravar la situación al saltar violentamente. Luego, piensa lo que vas a hacer y mueve esa parte de tu cuerpo intencionalmente, estando totalmente consciente de lo que estás haciendo. Respira dentro de esa parte durante un pequeño lapso y luego continúa con tu práctica de "Siéntate y respira".

VARIACIONES DEL MÉTODO BÁSICO

Practica "Siéntate y respira" todos los días durante al menos un mes. Cuando puedas sostener la atención en tu respiración firmemente y veas que no "desapareces" con tus pensamientos durante periodos largos de tiempo, puedes probar las siguientes variaciones.

Repite y respira

Como una alternativa para "Siéntate y respira" tal vez quieras utilizar la siguiente meditación: "Repite y respira". Puede ser particularmente útil si tienes mucho dolor. Las ideas básicas son las mismas, pero en vez de utilizar tu respiración como foco de tu atención, utilizas una palabra o frase de tu elección cuidadosamente seleccionada. Puedes decirla ya sea en voz alta o en silencio, dentro de tu cabeza. Va a ayudarte a detener tu mente a que siga a los pensamientos cuando surgen en tu conciencia. Utiliza tu palabra o frase en conjunto con tu respiración mientras ésta entra y sale...entra y sale... entra y sale... una y otra vez.

> *Repite tu palabra o palabras que hayas escogido cuando exhales. Escoge algo realmente significativo para ti; puede variar de tiempo en tiempo, dependiendo de cómo te sientas. Por ejemplo:*
>
> Inhala...exhala /"Paz"...

O

> *Inhala...exhala /"Estoy tranquilo"...*
>
> Sigue con tu palabra o palabras escogidas durante el tiempo que quieras, desde unos cuantos minutos hasta, digamos, veinte. Como mencioné con anterioridad, si se meten pensamientos no deseados, simplemente déjalos ir y regresa a tus palabras.

Escucha y respira

Puedes extender tu práctica de meditación para incluir la conciencia de la respiración y otro tema. Esta clase de práctica —mantener la conciencia de tu respiración mientras que también estás involucrado en algo más— es la forma en la que puedes incorporar los beneficios de la meditación y conciencia corporal en una forma activa en tu vida diaria. Prueba la técnica de una manera formal, con un foco específico en mente; luego podrás probarla con cualquier situación que desees. Primero que nada, aplica la técnica cuando estés escuchando música, tal vez una pieza tranquila o alguna forma de música, digamos, de la radio. Una vez más, el proceso básico es el mismo que en "Siéntate y respira" pero esta vez mantén una conciencia de tu respiración y de la música.

> *Sigue tu respiración durante unos cuantos momentos como en la práctica de "Siéntate y respira" y luego continúa, manteniendo la atención puesta en tu respiración y en la música, sin dejar que la música te distraiga. Escucha el tono, la textura y la forma de la música, y los silencios que hay entre las notas. La idea es que no te pierdas en la música sino que estés lo suficientemente "apartado" de ella como para permanecer atento a tu respiración. Si tu atención divaga, en cuanto notes que sucede, simplemente regresa suavemente tu atención, primero a tu*

respiración y luego a la música. Sigue "escuchando y respirando" de esta forma durante el tiempo que desees.

Camina y respira

Esta es una práctica muy útil porque va a ayudarte en tus movimientos ordinarios: cuando camines por la casa o el jardín, cuando vayas de compras, cuando estés en el trabajo, etc. Estas son ocasiones en las que tendemos a acelerarnos, siempre yendo a algún lado, pensando en lo que haremos después en vez de pensar en cómo vamos a llegar ahí. En lugar de esto, al estar consciente de tu cuerpo cuando estás caminando, la caminata misma se convierte en la meta, en el foco de tu atención, trayéndote al presente. Vas a descubrir que estarás menos apresurado y serás capaz de moverte en una forma más calmada y organizada. Esto puede serte muy útil, especialmente si tienes algún dolor. Si tienes dificultad para caminar, ponerle total atención al proceso será de gran beneficio y tu capacidad de caminata mejorará como resultado. Si tienes un límite en tu distancia de caminata, asegúrate de no sobrepasarla. No importa si puedes dar unos cuantos pasos o caminar diez kilómetros siempre que estés atento a tu cuerpo mientras practicas "Camina y respira".

Es una buena idea que cuando comiences camines lentamente para que realmente puedas estar consciente de los movimientos de tu cuerpo. Después de practicar con paso lento puedes llevar a cabo la práctica de "Camina y respira" a tu velocidad normal y a una velocidad rápida. Esto te permitirá incorporar los beneficios de la práctica en tus rutinas cotidianas.

Tal vez jamás hayas pensado con anterioridad en la mecánica de caminar. Lo que realmente sucede es que primero nos sostenemos en una pierna y luego en la otra, con nuestro peso corporal apoyado perfectamente sobre nuestros pies en el suelo. ¡Vaya acto!

Prueba la meditación de "Camina y respira" como sigue:

> *Mientras caminas, ve hacia el frente pero está plenamente consciente de tus pies. Camina tan erguido como puedas, pero no te pongas rígido de ninguna manera. A algunas personas les gusta imaginar que un hilo dorado atraviesa desde la punta de su cabeza hasta el cielo, conectándolas con todos los corazones que hay en el universo. Deja que tus pies, tobillos, piernas, caderas, hombros y brazos estén relajados y en paz. Mientras caminas, está consciente de tus pies desde los talones hasta los dedos mientras ellos van "surcando" el suelo, uno después del otro, paso a paso. Está realmente consciente del contacto con el suelo debajo de cada pie y está atento a las sensaciones cambiantes que van de los talones a los dedos de cada pie mientras caminas.*

Una vez que has caminado un tramo poniendo atención a tus pies, puedes entonces comenzar a incluir la conciencia de todo tu cuerpo, incluyendo tu respiración mientras entra y sale. Mantén la caminata tan relajada como puedas, especialmente alrededor de las caderas y hombros. Deja que tus brazos se balanceen libremente. También puedes tener interés en lo que hay a tu alrededor mientras caminas. Este es un trabajo de gran talla, pero sigue practicando y descubrirás un nuevo gozo en el simple hecho de caminar como un fin en sí mismo.

Sé y respira

La siguiente técnica impulsa una conciencia general de lo que está a tu alrededor mientras al mismo tiempo mantienes la atención puesta sobre ti. Puedes practicar la conciencia general en cualquier momento, sin importar lo que estés haciendo: lavando los trastos, lavándote los dientes, comiendo, caminando, de compras, manejando, cualquier cosa. Va a ayudarte a estar tranquilo y totalmente en el presente, plenamente consciente exactamente de lo que estás haciendo. También estarás más consciente de tu cuerpo y de cómo lo estás utilizando. El estar plenamente consciente de lo que estás haciendo puede ayudarte a calmarte, a cuidarte más y a estar menos propenso a agravar cualquier condición dolorosa. Esta técnica puede ser de gran ayuda si el dolor llena toda tu conciencia. Al concentrarte exactamente en lo que estás haciendo, serás capaz de enfrentarte a "este momento" continuamente, poniéndole atención a este momento, y luego al siguiente y al siguiente, etc. Yo con frecuencia utilizo este método cuando el dolor es realmente intenso. El siguiente ejemplo muestra cómo utilizar esta técnica cuando estás lavando los trastos.

> *Pon toda tu atención en cómo te estás moviendo, a tu respiración y a todas las sensaciones involucradas en el proceso. Observa el agua y las burbujas y ve cómo se comportan. Observa todos los colores, formas y tamaños que hacen. Ve cómo tu mano toma el siguiente plato. Realmente ve el color y la forma del plato, observa el brillo de la superficie y cualquier dibujo que tenga. Observa la esponja o el cepillo que tengas en la mano mientras la mueves hacia el plato y observa con detenimiento la esponja o el cepillo; el color, la forma y la sensación que provoca en tus manos. Pon atención a tus pies, plantados en el suelo, y en la tarja sobre la cual te estás recargando. Observa si hay algunos olores asociados con esta tarea. Sigue observando y mantente atento a todos las sensaciones involucradas en el proceso, manteniendo tanto contacto con el presente como puedas, con lo que está sucediendo en este momento.*

En momentos de gran estrés, algunas personas incluso describen lo que están haciendo, dentro de su cabeza o en voz alta. Por ejemplo: "Puse el plato en mi mano izquierda. Es muy brillante y tiene un dibujo de flores verdes y azules en la orilla. Mis pies están firmemente plantados en el piso. Mi respiración es lenta y calmada. Las burbujas tienen pequeños arco iris y se rompen cuando las toco...", etc., etc.

Como mencioné con anterioridad, puedes utilizar esta clase de conciencia general en cualquier momento, mientras realizas cualquier actividad, no sólo si sientes dolor. Esta es una forma de añadir gran fuerza y placer a tu vida, o de sentirte profundamente en contacto con la vida misma o de sentirte parte de ella.

CÓMO MANTENER LA ATENCIÓN

Si puedes, trata de unirte a un grupo de meditación pues es muy útil aprender y practicar con otras personas. Las meditaciones que están en este libro son técnicas sencillas de conciencia corporal y mental y no tienen nada que ver con ninguna clase de religión o movimiento. Existen muchos grupos en estos días que no están relacionados con un movimiento religioso pero algunos pueden estarlo. La práctica de algunas formas de meditación es muy antigua y una parte reverenciada de muchos movimientos religiosos. Así que primero pregunta y luego escoge el tipo de grupo que se acople a tus necesidades.

La mayoría de las personas no puede esperar, o incluso necesitar o querer, estar totalmente conscientes de su respiración y cuerpo todo el tiempo. Con frecuencia nuestra mente es atrapada por planes, análisis, por procesos creativos y todas las otras funciones normales del cerebro. Sin embargo, aún cuando estemos ocupados en algo más, es muy útil si podemos "mantener un ojo" en nuestra respiración y otro en el cuerpo. Esto es muy parecido a cuando tenemos que estar al pendiente de algún sonido si estamos cuidando a un bebé. Si podemos mantener este telón de fondo de conciencia general de nosotros mismos nos ayudará a estar en contacto con nuestras propias necesidades y también con ese centro de paz y tranquilidad que yace en nuestro interior.

Si sólo puedes aguantar una sesión de cinco minutos al día, o incluso un minuto de vez en cuando, aun así obtendrás los beneficios de estar silenciosamente en contacto contigo mismo. Haz lo que puedas. Tente paciencia. Al estar tanto tiempo como puedas "en el presente", plenamente consciente, sentarás una base de tranquilidad en tu vida, estando cada vez más en contacto con tu yo natural y tu sabiduría interna mientras practicas la forma de encontrar la tranquilidad interna.

LINEAMIENTOS DE ACCIÓN

1 Comienza utilizando la meditación atenta de "Siéntate y respira". Practica todos los días durante tanto tiempo como puedas, desde 5 minutos hasta 15 o 20 minutos. Haz esto durante al menos un mes, o más si es posible. Entre más fuertemente esté cimentada tu práctica inicial, mayores serán las ventajas que te dará. Serás capaz de manejarte más fácilmente en los momentos de verdadera necesidad cuando recuerdes regresar y permanecer con tu respiración.

2 Una vez que puedas mantener tu atención firmemente en tu respiración, prueba algunos de los otros métodos que se mencionan en esta Unidad.

3 Puedes mezclar tu práctica de meditación con cualquier método de relajación de tal forma que puedas hacer una un día y otra otro día, o, tal vez, puedes meditar en la mañana y utilizar un ejercicio de relajación por la tarde o noche.

4 Si puedes, únete a un grupo donde practiquen la meditación.

5 Lee libros sobre meditación.

UNIDAD 7

Regulación y planeación de tus actividades

ÍNDICE

Cómo llevar a cabo un programa de regulación 195

Paso 1 Una relación positiva con el dolor 198

La técnica "Detente y cambia" 199

La presión del tiempo 201

Paso 2 Escribe un diario 202

Cómo escribir el diario 203

Ejemplo de un diario 204

Paso 3 Clasificar actividades 205

Paso 4 Trabajo de detective 207

Analiza tus actividades 209

Lista de peligros 210

Lista segura 210

Lista con estrellas 211

Espaciamiento de actividades 211

Variabilidad en los niveles de dolor 212

Emociones 213
Periodos de descanso 213
Paso 5 Toma el tiempo de tus actividades 215
Paso 6 Encuentra tus tiempos base 216
Paso 7 Pon a prueba tus tiempos base 218
Paso 8 Controla los niveles de dolor 219
Organiza tu día 222
Tarjetas de prioridades 223
Decir "no" 224
Usar y mover tu cuerpo 226
Paso 9 Establecimiento de metas para mejorar 228
Sugerencias para un establecimiento de metas exitoso 229
Paso 10 Haz una hoja de metas 231
Cómo llenar la hoja de metas 232
Paso 11 Evalúa tu progreso 235
Paso 12 Visualiza tu meta 236
Felicidades 238
Lineamientos de acción 239

CÓMO LLEVAR A CABO UN PROGRAMA DE REGULACIÓN

Esta unidad te muestra cómo regular, planear y administrar tus actividades por medio de construir tu propio Programa de Regulación. Hacer un Programa de Regulación estructurado y establecer metas son dos de las habilidades más satisfactorias que puedas aprender. El poder que obtienes al hacerte responsable de ti mismo y de tu dolor te da una mayor confianza y respeto hacia ti. Esta actitud positiva impulsa a que los procesos naturales de curación que tiene tu cuerpo operen normal y efectivamente, permitiendo que la curación y la regeneración ocurran. La vida se volverá más fácil y tendrás la sensación maravillosa de estar "a cargo" de tu situación, sintiéndote orgulloso de ti por actuar de esta manera.

La mayoría de nosotros tiende a continuar una actividad hasta que somos *forzados* por el dolor a detenernos. Un Programa de Regulación asegurará que te detengas *antes* de que comience el dolor. Al tener un control y aprender cómo establecer cuidadosamente metas planeadas serás capaz de alcanzar cada vez más y aumentar tus actividades de una forma estructurada... *sin aumentar el nivel de dolor.* La regulación te salvará del balanceo y, por tanto, como resultado, de no poder hacer nada. Cuando nos lanzamos de un extremo del columpio al otro en esta forma de "todo o nada" descubrimos que no tenemos el control de nuestro dolor y que, por el contrario, es él quien nos está controlando a nosotros. Tener un Programa de Regulación significa que puedes aumentar tu actividad pero, al mismo tiempo, mantener controlados los niveles de dolor. Algunas de las cosas que quieres hacer pueden tomar más tiempo, pero estarás haciendo lo que te propones con éxito, sin incitar el dolor. Vas a encontrar una forma equilibrada entre demasiado descanso y demasiada acción. A través de tener metas cuidadosamente estructuradas y diseñadas también podrás progresar con tus actividades físicas. Esta es una forma ideal, por ejemplo, para aumentar tu capacidad de caminar o de estar sentada, si eso es lo que necesitas.

Si puedes, es bueno que involucres a tu familia y amigos en tu programa. Diles que estás comenzando un nuevo programa para reducir tus niveles de dolor y no deben sorprenderse si dejas de hacer un trabajo a la mitad y lo dejas para después. Si les dices que todo va a estar bajo control y que las cosas se van a hacer, pero de una forma diferente a como se hacían, lo entenderán. Les gustará escuchar que estás tomando una parte activa en tu cuidado personal y les gustará mucho más si empiezan a ver resultados. Si no es apropiado involucrar a alguien más, puedes trabajar perfectamente bien de forma independiente con tu programa.

Te tomará una semana o dos de trabajo detectivesco intensivo para descubrir todo lo que puedas acerca de cómo se relaciona el dolor con tus actividades. Luego podrás establecer un programa a partir del cual trabajar. Una vez que has hecho esto, sólo tendrás que pasar unos cuantos minutos una vez a la semana para revisar cómo vas y establecer tus metas para la siguiente semana.

El contenido de tu Programa de Regulación dependerá de tus requerimientos físicos y tu situación personal. Muchas personas no necesitan hacer ajustes importantes a su vida, tal vez sólo para estar más conscientes de la planeación de una manera más cuidadosa y para cambiar las actividades regularmente durante el día. Sin embargo, muchas personas pueden necesitar hacer muchos cambios en un periodo de unas cuantas semanas o meses. Tendrás que ser tu propio juez a este respecto, pues sólo tú conoces tus circunstancias.

El programa es muy completo y amplio y existen muchas actividades que puedes hacer. Recuerda, a lo largo de todo el camino, dar *un paso a la vez.* Concéntrate en el paso en el que estás trabajando y el resto del programa tomará su lugar en su momento. No hay prisa y puedes completar el programa según te convenga. Sigue adelante, pues el resultado será éxito en uno de las habilidades más valiosas que hayas aprendido jamás.

PASO 1 UNA RELACIÓN POSITIVA CON EL DOLOR

La clave para el alivio natural del dolor es construir una relación positiva con tu cuerpo y con la parte adolorida; no es cuestión de luchar contra ella, odiarla o verla como un enemigo, sino alimentando una relación compasiva y amistosa en la que aprendes cómo atender las necesidades de tu dolor. Entre más te sintonices con tu cuerpo, más serás capaz de trabajar con él para alcanzar la reducción del dolor. La parte de ti que está provocando dolor necesita tu atención positiva y constructiva en la forma de cuidado, consideración y empatía.

Una vez que te sintonices en la frecuencia correcta, tu cuerpo te hablará y podrá decirte, en su propio lenguaje, lo que necesita y quiere. Esto con frecuencia se manifiesta en sensaciones de un tipo u otro. Cuando tu cuerpo está trabajando felizmente te deja saber que así es dándote sensaciones positivas: te sientes relajado, atento, te mueves fácilmente y tienes una sensación de buena salud. Cuando algo te duele, tu cuerpo te está diciendo que no está contento, y que quiere que trates la parte que está doliendo con respeto. El primer paso es estar más consciente de tu cuerpo, utilizando la siguiente técnica para desarrollar una relación positiva con la parte adolorida. Serás recompensado por un conocimiento más profundo y un mayor entendimiento de ti y estarás en una mejor posición de controlar y reducir el dolor en las siguientes etapas del Programa de Regulación.

La técnica "Detente y cambia"

Cuando te des cuenta del dolor y veas que tu cuerpo está tratando de captar tu atención, DETENTE. DETÉN inmediatamente lo que estés haciendo y observa lo que tu cuerpo está tratando de decirte. Está clamando tu atención en la única forma que sabe hacerlo. Puedes descubrir que es útil que digas, ya sea en voz alta o en tu cabeza, "DETENTE".

Habiendo hecho este espacio para ti al detener lo que estás haciendo, lleva tu atención a tu respiración y deja que se vuelva un poco más lenta y profunda durante unos instantes. Luego construye una relación con la parte adolorida; habla, mentalmente o incluso audiblemente si así lo prefieres, directamente con la parte en una forma amable, tal y como hablarías con un niño pequeño que necesita consuelo.

Por ejemplo: "Gracias por hacerme saber que ya no estás dispuesta a hacer nada más en este momento. Voy a detenerme por unos momentos y dejarte descansar. Podemos hacer más al rato. Ahora bien, veamos si podemos hacer que te sientas más cómoda".

Si lo deseas, haz contacto físico con la parte que necesita atención especial. Si te es conveniente y te sientes cómoda con hacerlo, pon tu mano sobre ese lugar; esto le dirá al área que quieres comunicarte con ella.

Ahora vuelve a ponerle atención a tu respiración nuevamente y pasa unos instantes simplemente observando cómo entra y sale; siente cómo el calor y la relajación comienzan a diseminarse por todo tu cuerpo.

Y luego, cada vez que inhales, imagina que tu respiración va directamente a la parte que necesita atención, llevándose calor y relajación con ella. Sigue llevando este calorcito y relajación a esa área por unos momentos. Esto calmará y reducirá el dolor.

Y ahora que literalmente has obtenido un "espacio de respiración", CAMBIA tu actividad. Cambia a una actividad diferente que le dé a la parte afectada un cierto respiro.

Este es el comienzo de una relación con el área de tu cuerpo que tiene dolor, una asociación o incluso, amistad. Con los últimos pasos en el Programa de Regulación descubrirás cómo detener y cambiar actividades *antes* de que aumente el dolor: este es el verdadero arte de la regulación.

La presión del tiempo

Muchos de nosotros sentimos la presión del tiempo sobre nosotros. Podemos sentir que tenemos mucho que hacer en el tiempo del que disponemos o, cuando estamos llevando a cabo un trabajo, "tenemos" que terminarlo. Por otro lado, algunos de nosotros que necesitamos poner a descansar nuestro cuerpo podemos sentirnos como si tuviéramos "demasiado" tiempo. Así pues, el tiempo puede ser una presión sobre nosotros por diferentes razones. En lo que se refiere a aquellos de nosotros que descubrimos que tenemos "demasiado" tiempo, podemos aprovechar la oportunidad del tiempo extra que se nos da meditando, visualizando, o con cualquiera de las otras maneras maravillosas

> *"¿Qué sucedería si me detuviera en este momento?"*
>
> Luego pregunta *"¿Realmente importa?"*
>
> Finalmente pregunta *"¿Qué es lo peor que podría pasar?"*

Cuando estés sintiendo la presión de los tiempos límite o de la urgencia de esta manera, te será útil si puedes concentrarte en el momento, en el "ahora", estar plenamente consciente del presente, no del futuro de la fecha límite. Al estar consciente del proceso mismo, en *llevar a cabo* la tarea, te deshaces de la presión. Cuando nos concentramos en hacer lo mejor que podemos, en este mismo momento, incluyendo las consideraciones del dolor, nos olvidamos de las fechas límite.

Puedes decirte a ti mismo:

"La vida no es una emergencia".

Y luego, *"Hay mucho tiempo".*

O incluso, *"Disfruto este instante porque estoy en él".*

Estas afirmaciones, cuando son repetidas con verdadera convicción, ayudarán a cambiar la manera en la que piensas, apoyando y nutriendo tu yo interno.

PASO 2
ESCRIBE UN DIARIO

El segundo paso del Programa de Regulación es pasar alrededor de una semana escribiendo un diario de tus actividades. El diario puede adquirir la forma de una lista de notas o apuntes. No es necesario escribir muchas páginas cada día, a menos que así lo desees. Necesitas escribir en tu diario regularmente, escribiendo todo lo que haces durante el día. Este diario va a darte mucha información acerca de cómo estás organizando tus días. Es mejor si pones tantos detalles como te sea posible porque, obviamente, entre más información ingreses en el diario, más útil será la información que podrás obtener de él. Con esta información te colocarás en una posición fuerte para hacer algunos juicios acerca de exactamente cómo estas ocupando tu tiempo.

Cómo escribir el diario

Necesitarás una libreta personal, un libro de ejercicios o una carpeta para tu diario y para los registros que hagas durante el Programa.

Durante alrededor de una semana, anota todo lo que hagas, a medida que lo hagas; incluye las comidas, las tareas mundanas, ver TV, los tiempos de traslado, periodos de descanso, etc. Registra cuánto tiempo ocupas en cada actividad, especialmente los periodos de descanso. También anota todos los altibajos en tus emociones.

Recuerda: cada vez que cambies de actividad, escríbelo. Es un gran compromiso pero sólo es por una semana y es un primer paso vital en tu Programa. Al final de cada día, marca tus actividades de la siguiente manera:

- *Marca con una estrella cualquier actividad que te haya hecho sentir bien, especialmente si te ayudó a reducir los niveles de dolor. No necesitas ponerle una estrella a los periodos de descanso porque la meta es reducir gra-*

dualmente éstos tanto como sea posible en las semanas subsecuentes.

- *Marca con un pequeño círculo cualquier actividad en donde tu cuerpo se haya hecho escuchar con dolor adicional ya sea durante o después de una actividad.*
- *Marca con una palomita cualquier actividad que hayas finalizado fácilmente y que no provocó ningún cambio significativo en los niveles "normales" de dolor.*
- *Marca todos los periodos de descanso con una "D".*

Aproximadamente al final de la semana habrás obtenido una gran cantidad de información acerca de tu patrón actual de actividades. Ahora podrás utilizar tus notas para hacer descubrimientos valiosos para ayudarte a regular y planear tus actividades.

Ejemplo de un diario

Te presento un extracto del diario de una amiga mía, Lucy, en la página 206. Recuerda, sólo es un ejemplo, pues tu diario se verá completamente diferente. Este extracto te mostrará cómo se verá el diseño.

PASO 3 CLASIFICAR ACTIVIDADES

Una vez que has recopilado algunos detalles acerca de cómo pasar tu tiempo puedes comenzar a examinar la información para encontrar maneras para llevar a cabo cambios.

En primer lugar haz un dibujo con títulos como los de la página 208 para encontrar si existe un patrón común en tus actividades. Clasifica tus actividades en listas bajo cada título.

- *Una lista para las actividades que provocan un mayor dolor y que están marcadas por un círculo.*
- *Otra lista para las actividades marcadas con una palomita; éstas fueron las actividades "seguras" que realmente no provocan un cambio real en los niveles de dolor.*

Si vemos el extracto del diario podemos ver que Lucy se excedió en hacer cosas cuando fue a una larga sesión de compras seguida por ir a hacer visitas en la tarde. Por eso tuvo que descansar la mayor parte del día.

- *Una tercera lista estará formada por las actividades que están marcadas por una estrella, que son aquellas en las que obtuviste un beneficio de sentirte mejor.*
- *Finalmente, haz una nota separada de periodos de descanso todos los días.*

El ejemplo de la página 208 fue tomado de la lista recopilada del diario de Lucy. Una vez más, la lista de Lucy será completamente diferente a la tuya. Es sólo un ejemplo de la manera de extractar y clasificar información a partir de un diario de actividades.

Extracto del diario de Lucy

Fecha: 5 de agosto	**Tiempo**	**Palomita/ Círculo/ Estrella/D**
7:30 a.m., me levanté, me bañé y me vestí	20	✓
Preparé el desayuno	15	★
Desayuno	15	★
Me preparé para salir y limpié la casa	45	✓
Manejé el auto (me emocioné)	15	○
Compras	90	○
Manejé el auto	15	○
Descansé	60	*D*
Comí	45	✓
Hice visitas	30	*D*
Descansé	90	○

Fecha: 5 de agosto	Tiempo	Palomita/ Círculo/ Estrella/D
Sembré plantas (me sentí contenta)	60	*D*
Descansé	20	★
Preparé la cena	60	*D*
Cené	30	✓
Limpié la cocina	30	✓
Planché (me sentí cansada y deprimida)	3	✓
Pasé toda la tarde recostada	40	○
Me fui a dormir como a las 10:30 p.m.	180	*D*

PASO 4
TRABAJO DE DETECTIVE

Encuentra un momento tranquilo del día cuando no seas molestado y dispón todo para estar tan cómodo como te sea posible; es tiempo de hacer un poco de trabajo detectivesco en tus listas.

Cuando Lucy investigó sus listas, observó que las actividades en donde sentía que su cuerpo necesitaba más cuidado caían en categorías muy simples. Estas eran actividades que tenían que ver con estar sentada, agachada y caminando. Decidió que pasaba mucho tiempo en muchas de sus actividades. Por ejemplo, sentía que la expedición para ir de compras era demasiado cansada para ella y que sería mejor dividirla en dos partes. Observó que podía caminar cerca de un cuarto de milla con facilidad pero no mucho más sin tener un dolor adicional. Lucy también descubrió que sus actividades se desenvolvían en una forma un tanto errática. Por ejemplo, un día podía ir de visita y de compras, o de repente decidía que caminaría un trecho largo y luego, en los siguientes días, no caminaba en lo absoluto.

Extracto de las listas de Lucy

Círculo (dolor adicional)	**Palomita** (no hay cambios grandes en el dolor "normal")	**Estrella** (reducción de dolor)
Agacharse en el jardín (15 minutos de siembra)	Bañarse/vestirse	Atender a amigos en casa
Manejar el auto, 15 min.	Ejercicios	Sesión de relajación
Concierto, 2 horas	Ver TV	Caminata, ¼ de milla

Círculo (dolor adicional)	**Palomita** (no hay cambios grandes en el dolor "normal")	**Estrella** (reducción de dolor)
Caminata ¾ milla	Preparar comida	Sembrar plantas
Compras, 1 ½ horas	Comer	Programa de comedia en TV
Visitar amigos (silla incómoda)		Alimentar a los patos
Pleito con mi hijo por no limpiar su cuarto		Ver jugar a los niños

Periodos de descanso

Fecha	*Duración (minutos/horas)*	*Total en número*	*Total en horas*
3 de agosto	60, 30, 60, 60, 60, 3 ½ hrs.	6	8 horas
4 de agosto	30, 10, 15, 60, 20, 10, 2 hrs.	7	4 horas 25 min.

Analiza tus actividades

Puedes analizar tus propias actividades de una manera similar y descubrirás mucho acerca del patrón que siguen tus actividades.

Lista de peligros

- *Observa cuidadosamente en tus listas lo que está marcado con un círculo (dolor extra).*
- *¿Qué clase de actividad agrava el dolor?*
- *¿Estas actividades están relacionadas con movimientos físicos en particular? Por ejemplo, agacharse, estirarse, jalar, cargar, caminar, sentarse, subir escaleras, etc.*
- *¿Es relevante la cantidad de tiempo que pasas en una actividad? ¿Podrías adaptarte a tener un lapso menor de la misma actividad más cómodamente?*

ACCIÓN: Observa lo que tu cuerpo te dice y ajusta tus movimientos y tareas en consecuencia.

Lista segura

- *Ahora observa la lista de actividades marcada con una palomita; aquellas que, con cuidado, son razonablemente "seguras" para ti.*
- *¿El tipo de movimiento que usas es diferente o el mismo que en las otras listas?*
- *¿El tiempo que pasas realizando la actividad es el mismo o es diferente a las otras listas?*
- *¿Qué, en estas actividades, las hace más cómodas para ti?*

ACCIÓN: Toma nota de lo que tu cuerpo te está diciendo y ajusta tus movimientos y tareas en consecuencia.

Lista con estrellas

- *Observa la lista "estrellada".*
- *Cuando tu cuerpo estaba contento y las cosas mejoraron un poco, ¿qué estabas haciendo?*
- *¿Las actividades eran actividades de "descanso"?*
- *Si las actividades involucraban movimiento, ¿qué clase de movimientos eran?*
- *¿Eran de corta duración las actividades?*

ACCIÓN: Considera si te ayudaría realizar una mayor cantidad de estas actividades.

Espaciamiento de actividades

- *Examina tus notas para hacer el espaciamiento de actividades.*
- *Dale un vistazo general a tus actividades. ¿Descubriste que tus compromisos estaban demasiado pegados entre sí durante la semana? ¿Tal vez había muchos, digamos, en días consecutivos y luego ninguno en los demás?*
- *¿Tiendes a hacer mucho en un día y luego no hacer casi nada al día siguiente?*

- *Observa tus actividades todos los días. ¿Estuvieron tus actividades amontonadas en una sola parte del día?*
- *En las actividades que estaban muy pegadas ¿utilizaste movimientos físicos similares, por ejemplo, estar sentado para transportarte y luego estar sentado para escribir en computadora y luego estar sentada para hablarle a personas?*
- *¿Crees que estás llevando a cabo actividades individuales durante tiempos largos?*

ACCIÓN: Reacomoda tus compromisos para que se adapten a las necesidades de tu cuerpo.

Variabilidad en los niveles de dolor

- *¿Cambia el dolor de alguna manera en el día?*
- *¿Por lo regular el dolor es muy fuerte en la mañana y luego va disminuyendo a medida que te mueves?*
- *¿Aumenta el nivel de dolor durante el día?*
- *¿Es el dolor particularmente notable después de ciertas actividades?*

ACCIÓN: Organiza tus actividades para manejar estos patrones de dolor.

Emociones

- *¿La manera en la que te sientes tiene algún efecto en los niveles de dolor?*
- *¿Caen los niveles de dolor cuando la estás pasando bien?*
- *¿Se elevan cuando te sientes molesto?*

ACCIÓN: Investiga nuevas formas de manejar las situaciones que te provocan molestia. Investiga cómo manejar tus propios sentimientos. (Ve la Unidad 5, "El manejo de tus sentimientos", y la 8, "Disfruta".)

Periodos de descanso

- *¿Tus periodos de descanso son muy frecuentes?*
- *¿Varían en duración?*
- *¿Hay algo que determine cuánto tiempo duran?*
- *¿Qué haces durante un periodo de descanso?*
- *Observa las actividades que son seguidas por un periodo de descanso. ¿Existe algún patrón ahí?*
- *¿Tiendes a excederte en hacer las cosas y luego tienes que ocupar un tiempo extra para descansar como consecuencia?*

ACCIÓN: Considera reemplazar algunos de tus periodos de descanso con sesiones de relajación y ejercicios. Siempre mantente tan activo y en movimiento como te sea posible.

Ve qué puedes descubrir a partir del patrón de tus actividades, pues esta es una excelente oportunidad para descubrir en dónde podrías llevar a cabo algún cambio realmente valioso en tu vida. La regulación y planeación de tus actividades te dará un impulso enorme y positivo para tu bienestar. Cuando hablamos de "regular y planear" en realidad lo que estamos diciendo es administrar nuestras actividades teniendo un buen equilibrio entre movimiento y descanso, un equilibro entre el tipo de movimientos físicos y actividades en las que estamos involucrados. Alcanzar un equilibrio puede incluir tener muchos pequeños descansos de lo que estás haciendo y también cambiar frecuentemente el tipo de movimiento físico y actividad que estás realizando; en otras palabras, es "detenerte y cambiar" tus actividades. El siguiente paso del programa te ayudará a detenerte y cambiar en una forma muy efectiva, antes de que se eleve el nivel de dolor.

Una vez que te has dado cuenta del patrón de actividad que tienes durante varios días y entiendas por qué necesitas regular tus actividades, se vuelve más fácil empezar a ser más considerado hacia tu cuerpo y cumplir sus necesidades.

PASO 5 TOMA EL TIEMPO DE TUS ACTIVIDADES

Ahora sabes que la mejor manera de manejar cualquier sensación de dolor no es luchar con la actividad que estás haciendo sino "detenerte y cambiar" a otra actividad que le pueda dar a tu cuerpo un respiro. Aún mejor —y esta es la esencia de un buen Programa de Regulación— tiene que ver con "detenerte y cambiar" antes de que surja una cantidad extra de dolor. Detener una actividad mientras sigues estando tan cómodo como cuando empezaste significa que, en verdad, estás controlando la situación.

De ahora en adelante ya no vas a esperar a tener las sensaciones incómodas para dejar de hacer lo que estás haciendo, sino que vas a aprender cómo saber cuándo parar una actividad antes de que tu cuerpo te diga en una forma dramática que necesita tu atención. Se que esta situación es inevitable en ocasiones, pero poco a poco tendrás menos de esas ocasiones de "emergencia" a medida que queda establecido tu Programa de Regulación.

Con frecuencia no tenemos la seguridad de durante cuánto tiempo podemos llevar a cabo una actividad antes de necesitar detenernos. Como se mencionó anteriormente, la tendencia es seguir con lo que estamos haciendo hasta que tenemos que parar. La forma más exitosa de decidir el periodo óptimo para seguir con una actividad es tomar el tiempo. Para tomar el tiempo de lo que están haciendo, la mayoría de las personas descubren que tener un reloj con cuenta regresiva que tenga una alarma es más efectivo que tener un reloj de pulso o de escritorio. Si nos confiamos en que vamos a ver el reloj podemos muy fácilmente sumergirnos en lo que estamos haciendo que se nos olvida el paso del tiempo.

Tómate unos momentos para escribir las principales actividades en las que, después de un lapso pequeño, estás consciente del dolor; esto es, tu cuerpo te está diciendo que necesita un poco de respiro y apoyo. No es necesario que hagas una lista muy larga; trata de anotar las actividades más importantes, como caminar, estar sentado, estar parado.

Por ejemplo, Lucy hizo una lista que incluía caminar y manejar.

Nuestras listas serán muy diferentes, dependiendo de nuestra situación individual. Tu lista puede contener sólo una o dos actividades o puede incluir más; por ejemplo, el quehacer de la casa, estar de pie, practicar algún deporte, viajar, pasatiempos.

PASO 6 ENCUENTRA TUS TIEMPOS BASE

Tendrás que decidir por ti mismo el tiempo razonable para llevar a cabo las actividades de tu lista y detenerte antes de que tu cuerpo comience a decirte que necesita descansar o cambiar de postura.

Determina el tiempo sobre la base de durante cuánto tiempo puedes hacer la actividad sin provocarte ningún dolor ya sea durante o después de la actividad. Date cuenta de que los niveles de dolor pueden aumentar unas cuantas horas o incluso un día después de mucha actividad. Sé generoso y comienza en un nivel mucho menor del que piensas es apropiado para ti; de esta forma tendrás éxito desde el principio. Un método simple para asegurarte que no permanezcas demasiado tiempo en una actividad es programar un reloj con cuenta regresiva y obedecerlo. Puede ser útil que anotes, por ejemplo, de los momentos en los que estés sentado unos cuantos días y luego escojas el tiempo más bajo como tu línea de base, aún si es un periodo que abarque sólo unos minutos. Cuando encuentres la línea de base para caminar una distancia corta puede ser muy útil que cuentes los pasos que diste, en vez de tratar de tomar el tiempo de la caminata.

También puedes necesitar investigar cuántas veces al día puedes cumplir de manera segura tu trabajo en este nivel. Por ejemplo, si puedes caminar, digamos, media milla, tal vez puedas lograrlo una vez, dos veces, tres o incluso más veces en el día, pero necesitas saberlo. Lo mismo se aplica para cualquier otra actividad.

Por ejemplo, Lucy encontró sus niveles base para caminar como un cuarto de milla, dos veces al día, y para manejar como cinco minutos, dos veces al día.

PASO 7 PON A PRUEBA TUS TIEMPOS BASE

Ahora que tienes tus tiempos base necesitas ponerlos a prueba.

En los próximos días quédate en los niveles base de las actividades que escogiste. Puedes descubrir que esto es más fácil si utilizas un reloj con cuenta regresiva, tal y como se mencionó anteriormente.

No trates de sobrepasar tus tiempos base; mantenlos tanto como te sea posible. Incluso puede ser muy bueno que guardes un poco de tiempo de reserva para sucesos inesperados.

También es bueno que seas flexible en tu regulación, pues el dolor varía diariamente, con frecuencia sin ninguna razón que puedas entender. Así que si aún te sigues sintiendo incómodo después de unos cuantos días no dudes en reevaluar tu nivel de actividad y disminuirlo hasta que alcances un nivel menor en el que puedas operar más fácilmente.

Tal vez pienses que tu línea base menor es muy baja, pero no dejes que eso te preocupe. El principal objetivo en este momento es que mantengas abajo el dolor en un nivel razonable y más manejable durante un tiempo. Más adelante podrás construir sobre la base de ese nivel.

Una vez que estés satisfecho con tu nivel base para cada una de tus actividades y sepas cuántas veces puedes llevar a cabo cada actividad durante el día, tendrás mucho más confianza en tu cuerpo. La confianza crece cuando sabes que has encontrado un nivel en el que, en general, puedes estar cómodo, tanto durante como después de la actividad.

PASO 8
CONTROLA LOS NIVELES DE DOLOR

Puedes comenzar haciendo un plan para la siguiente semana y hacer esto todas las semanas hasta que estés seguro de que tu dolor está controlado. Al hacer un plan para la semana siguiente necesitarás tomar en cuenta las ideas que te he presentado en esta Unidad acerca de cómo descubrir un nivel base en tus actividades, separando tus compromisos y actividades, y dejando tiempo para relajación, ejercicios, disfrute y tranquilidad todos los días.

Es una buena idea seguir llevando un breve diario de tus actividades en general porque así puedes evaluar tu progreso más fácilmente. También es una excelente idea llevar un registro breve de las actividades de las que has encontrado tiempos base. Esto te ayudará a apegarte a los tiempos y a verificar tu progreso. La siguiente gráfica es un ejemplo del registro de líneas base de caminata de Lucy.

Periodos de descanso

Fecha	Nivel alcanzado	Notas
15 de agosto	600, 600	OK
16 de agosto	600, 600	OK
17 de agosto	700, 800	Mucho dolor
18 de agosto	600, 600	OK

Comentarios al final de la semana: Logré mantener muy bien mis tiempos base, excepto un día. Voy a ocupar otra semana antes de pasar al establecimiento de metas.

Después de otra semana, Lucy decidió que su nivel base era apropiado para ella. Lucy también formuló registros similares para sus actividades de manejo y jardinería.

Es importante que planees lo más que puedas tus actividades. La meta es que tú decidas qué hacer, y no el dolor. El arte de regular es detenerte mientras aún estás cómodo y no cuando tu cuerpo te dice que te detengas.

Si a pesar de tus esfuerzos por regular tienes un día en el que tu cuerpo necesita un tiempo para recuperarse, puedes tratar de mantener tus planes pero darte más tiempos de descanso y relajación. Por otro lado, cuando tienes un día en el que tu cuerpo se siente feliz y libre, también necesitas respetar esto y no sobrepasarte haciendo cosas e intentando hacer más de lo que has planeado.

Es bueno que al final de cada semana evalúes esa semana y veas cómo lo hiciste. De esta forma puedes hacer ajustes para la siguiente semana. Igualmente, mereces reconocimiento por tus logros, especialmente al final de cada semana exitosa. A través de tus esfuerzos estás logrando mantener tu cuerpo en una postura más equilibrada. Un pequeño regalo o recompensa dentro del programa cuando alcances exitosamente cada etapa es una excelente idea como un incentivo y como un refuerzo para tu determinación de asirte y mantenerte en un programa de regulación. No importa lo que sea, siempre y cuando sea algo significativo para ti. Podría ser cualquier cosa, desde una visita especial hasta algo muy simple, como comprarte tu revista favorita.

Recuerda siempre que si te desvías de tu Programa de Regulación no es el fin del mundo. Todos hacemos lo que podemos lo mejor que podemos. Si no lo haces bien todo el tiempo (¿quién podría?), no importa. Sigue siendo amable contigo mismo y simplemente vuelve a comenzar en cuanto puedas. Nada se perderá; cada día es un nuevo comienzo. Puede serte de ayuda que anotes las circunstancias que hicieron que te desviaras de tu programa, por ejemplo, visitantes inesperados, un viaje más largo de lo esperado o ¡simplemente un momento audaz! Al final de una semana o dos, si sigues rompiendo tus tiempos base, puedes ver si existe un patrón involucrado. Entonces puedes preguntarte por qué sigue sucediendo y si hay algo que puedas hacer al respecto.

Organiza tu día

Algunos de nosotros podemos sentirnos como si no nos alcanzara el tiempo en el día para todo lo que necesitamos o queremos hacer, ya sea trabajo o diversión. Si esto te preocupa, será útil si vemos todas nuestras actividades y consideramos reorganizar nuestro tiempo. Incluso podemos considerar dejar a un lado ciertas cosas que no son tan importantes para hacer lo que realmente queremos hacer y las que tenemos que hacer. Por ejemplo, podemos descubrir que en realidad no tenemos tiempo para hacer algo especial que nos gustaría hacer. Si es así, podríamos ver cómo llenamos nuestro tiempo durante el día para ver si hay algo que podemos hacer a un lado por el momento. Por ejemplo, tal vez podríamos "ahorrar" un tiempo limitando el tiempo que pasamos viendo la televisión o leyendo el periódico o revistas.

Tarjetas de prioridades

Utilizar tarjetas de prioridades es una excelente forma de permitirnos sentir que controlamos las muchas cosas que tenemos o queremos hacer. Al utilizar las tarjetas para priorizar los trabajos en orden de importancia podemos descubrir rápidamente qué actividades necesitan atención inmediata y cuáles pueden ser dejadas a un lado por un tiempo.

- *Haz una lista de todo lo que consideras que necesitas y quieres hacer en, digamos, la siguiente semana.*
- *Ahora escribe cada una de estas actividades en una tarjeta por separado.*
- *Tómate tiempo todos los días en la mañana para que lo primero que hagas sea darle un vistazo a tus tarjetas en orden de importancia para ese día. Podrás ver en una ojeada qué cosas hacer ese día y cuáles puedes dejar para otro día, y también qué actividades puedes atender primero y cuáles puedes dejar para el final del día.*

Priorizar las actividades de esta forma nos da una gran sensación de control sobre las cosas y puede ayudarnos a detener los sentimientos crecientes de presión.

Decir 'No'

Ocasionalmente se nos puede pedir que hagamos algo cuando estamos demasiado ocupados como para distraernos, o tal vez cuando necesitamos un cierto espacio para un periodo de quietud y relajación. Decir "no" puede ser difícil para nosotros al principio, especialmente cuando se lo decimos a las personas que queremos. Es mejor si decimos de una forma sencilla y directa: "No, lo siento, tengo que dejarlo para otro momento". No es necesario ofrecer un manojo de explicaciones o disculpas. Las personas pueden sorprenderse la primera vez que les decimos "no", pero van a respetarnos por haber dicho lo que realmente sentíamos. También descubriremos que nuestra respuesta será aceptada. De hecho, una vez que nos acostumbramos a lo que, tal vez, sea una idea nueva para nosotros, podemos sorprendernos lo fácil y sencillo que es decir "no" de una manera firme, pero amable.

Algunas veces tal vez tengamos que rechazar tomar parte en una actividad que realmente nos atrae pero que está fuera de nuestras capacidades actuales. Ahí es donde necesitas estar más conscientes de las necesidades de nuestro cuerpo. Nos da otra oportunidad de practicar la técnica "detente y cambia". Utilizar la técnica de decirnos "DETENTE" o "NO" en estos momentos también nos da más poder y confianza, e impulsa una actitud positiva hacia nuestro cuerpo. Podemos llegar a una solución y un compromiso después que hemos dicho “no” a la actividad, tal vez involucrarnos sólo en algún aspecto de la actividad o planear retomarla después.

De vez en cuando podemos decirnos, por frustración o enojo ante nuestra situación, “Pero quiero hacerlo” o “Tengo que hacerlo”. Estos pensamientos no nos ayudan y es mejor si los dejamos ir, aunque, por supuesto, somos humanos y todos nos entregamos a esta clase de deseos de vez en cuando. Otra forma de enfrentarnos a esta clase de pensamiento es preguntarnos.

“¿Me estoy ayudando al hacer esto?”
“¿Qué pasaría si no lo hiciera?”
“¿Realmente importa?”
“¿Qué es lo peor que podría suceder si no hago esto?”

En estas circunstancias, la mejor táctica para tener paz emocional y apoyo para nuestras necesidades físicas es cambiar nuestro foco de atención y concentrarnos en algo que podemos hacer. Cuando hacemos esto podemos felicitarnos por mostrar una actitud constructiva y de apoyo hacia nuestro cuerpo y mente, una actitud que puede transformar la visión que tenemos de nosotros y fortalecer nuestra autoestima.

Aprender a organizar nuestro tiempo, tener prioridades y decir “no” ocasionalmente son aspectos de un Programa de Regulación. Estas habilidades nos dan una sensación de orgullo y propósito al mismo tiempo que una mayor sensación de control de nuestra vida, especialmente en lo que se refiere a los compromisos que tenemos con el honor y con los pasatiempos que escogemos; y, por supuesto, con nuestros niveles de dolor.

Una vez que tienes las cosas cada vez bajo mayor control puedes pasar al siguiente paso emocionante, que es trabajar hacia un mejoramiento al aumentar gradualmente lo que haces o la cantidad de tiempo que pasas en cada actividad. Sin embargo, antes de continuar con el establecimiento de metas para mejorar, es buena idea decir unas cuantas palabras con respecto a usar y mover tu cuerpo.

Usar y mover tu cuerpo

Cuando hemos tenido dolor durante un tiempo, nuestro cuerpo necesita un impulso físico extra para regresar a estar tan en forma y activo como sea posible. Puede haber una cierta reticencia a comenzar un movimiento extra, pero con una regulación cuidadosa y el establecimiento de metas podemos aumentar nuestro ejercicio y movilidad firmemente, sin tener más dolor. El ejercicio nos hace sentir mejor acerca de nosotros mismos, aumenta nuestra movilidad general y ayuda a reducir el dolor. El movimiento y el ejercicio no necesariamente significa que tengas que hacer ejercicio formal; las actividades agradables e informales como caminar, bailar y nadar son ejercicio.

Con esto en mente, ¿por qué no tratas de moverte cuando escuchas música, que es una actividad que la mayoría de las personas disfrutan? Esta es una de las mejores formas de mantenerte activo, ya sea mientras estás recostado, sentado o de pie. Escoge una música lenta y relajada y deja que dirija tus movimientos. Recuerda hacer de esto o cualquier otro ejercicio parte de tu Programa de Regulación, y distribuye tus ejercicios a lo largo del día. Con una buena regulación y establecimiento de metas podemos aumentar nuestro ejercicio y movilidad rápidamente, poniéndonos en forma tanto como seamos capaces.

Tal vez necesites ejercicios específicos para tu condición y siempre debes hacerlos bajo la supervisión de un experto, como un quiropráctico, un osteópata, un entrenador deportivo o un fisioterapeuta. Aunque existen muchos libros de ejercicios disponibles, por favor ten mucho cuidado. De hecho, es mejor no utilizarlos sin el consejo de un profesional en la materia. Cuando tienes una condición que te provoque dolor necesitas tener cuidado con llevar a cabo correctamente los ejercicios, y esto requiere supervisión. También se necesita verificar que los ejercicios sean seguros para tu condición en particular. Asegúrate que los ejercicios que hagas los hagas lentamente, como en un estado de meditación, con conciencia de cómo afectan los movimientos a tu cuerpo. Sé sensible a los mensajes de tu cuerpo y ponle mucha atención a la calidad de cada movimiento. Si observas que aumenta el dolor en un momento dado, especialmente si te da un dolor muy fuerte, deja de hacer lo que estás haciendo inmediatamente.

Tal vez te gustaría investigar la Técnica Alexander. Con un curso que consta de lecciones sobre la técnica, aprenderás a moverte con equilibrio y con economía de movimientos, lo cual ayudará de forma natural a minimizar el dolor y el entumecimiento. La Técnica Alexander ofrece un enfoque práctico respecto a la forma en la que movemos y utilizamos nuestro cuerpo; todo nuestro ser se tranquiliza a medida que adquirimos la gracia y la facilidad de movimientos que perdimos desde la infancia.

PASO 9
ESTABLECIMIENTO DE METAS PARA MEJORAR

Tener un Programa de Regulación significa que no siempre tenemos que abandonar completamente nuestras actividades favoritas o esenciales. Es posible que con frecuencia retomemos viejas actividades o comencemos otras nuevas con un plan organizado, cuidadoso y bien pensado. Establecer metas para nosotros le da una inyección positiva a nuestra vida y nos ayuda a mejorar nuestros niveles de actividad en una manera firme y segura. Tener metas y trabajar para obtenerlas nos da esperanza y confianza y aumenta nuestra autoestima.

Una vez que has descubierto tus niveles base para alguna de tus actividades, puedes utilizar ese conocimiento para avanzar hacia el establecimiento de metas. Logras tu meta al trabajar por obtenerla en una sucesión de pequeños pasos, aumentando lentamente la actividad que escogiste un poco cada vez. Esto puede significar unos cuantos minutos, o un paso a la vez, si estás caminando. Por favor no seas demasiado ambicioso: lo que quieres es tener éxito en cada etapa. A cada pequeño paso lo llamamos una "mini-meta", la cual estableces cada semana. Al final de la semana, evalúas la semana anterior y estableces otra "mini-meta" para la siguiente semana. Al comenzar en un nivel bajo y llevar a cabo sólo un pequeño aumento cada semana, las "mini-metas" se vuelven alcanzables. Disfrutas el éxito continuo al alcanzar estas "mini-metas" y, por tanto, tienes un progreso seguro y firme hacia la obtención de la meta principal sin tener traspiés. El éxito se volverá un hábito. Tu meta principal puede descomponerse en tantas "mini-metas" como decidas que es necesario.

Sugerencias para un establecimiento de metas exitoso

Escoge en un principio sólo una de tus actividades para trabajar. Si tomas más de una no podrás monitorear tu progreso de forma clara. Si estás comenzando desde un nivel de inactividad, escoge algo muy simple con lo cual empezar. Tal vez te sea útil escoger, digamos, la meta de tener una sesión de relajación todos los días, o hacer tus ejercicios regularmente. A medida que estés más fuerte, más activo y más capaz, podrás regresar a otras actividades y establecer metas para ellas. Lucy, por ejemplo, decidió concentrarse en mejorar su manera de sentarse y no el manejo de su auto, que es una actividad más compleja.

Tus metas pueden ser cualquier cosa, simplemente escoge una actividad que realmente te gusta hacer, y luego tu deseo de hacerlo te ayudará a seguir trabajando para obtener tu meta.

Necesitas establecer metas muy precisas. Por ejemplo, "Voy a salir a caminar todos los días", no es tan preciso como "Voy a irme caminando a la tienda todos los días".

Es importante que incluyas el tiempo en tus metas. Por ejemplo, "Voy a caminar hacia la tienda durante 4 semanas".

Haz que tus metas sean alcanzables. Por ejemplo, "Voy a manejar las 300 millas hasta Londres" obviamente es mucho más difícil para alguien que difícilmente puede manejar en ese momento. Sería mejor "Para fin de mes habré manejado cinco millas hacia la ciudad".

PASO 10
HAZ UNA HOJA DE METAS

Todas las semanas vas a necesitar una hoja de metas parecida a la que está en la página 233. Puedes fotocopiar esta hoja de metas que aún está sin llenar si eso te parece oportuno; de otra forma, anótala en tu libreta o carpeta.

Ten aumentos lentos y firmes que te lleven hacia tu meta cada semana. Comienza en tu nivel de actividad base y añade un poco para tu mini-meta de la primera semana. Tendrás que decidir qué tanto es, pues tú conoces tu capacidad. *Que tus mini-metas sean realistas;* si las metas y las expectativas son demasiado altas no te estarás ayudando. Hay un espacio en la tabla para una pequeña recompensa cada semana; puede parecer que esto no es importante, pero su poder no debe ser subestimado. Incluir una recompensa o un sistema de obsequios en el sistema semanal de metas realmente ayuda a motivarte y a que te sientas bien para alcanzar tu meta. Utilízala y ve los resultados por ti mismo. El sistema refuerza el éxito en un nivel profundo. Ten una recompensa más grande cuando alcances tu meta principal. Esto te dará algo por qué luchar y servirá como reconocimiento para tu finalización exitosa de la meta principal.

Dile a tu familia y amigos lo que estás haciendo e involúcralos en el proyecto y déjalos que lean este programa si es posible. Ve tu diario para saber cuál es el mejor momento del día para hacer tus actividades y ejercicios físicos. Escoge momentos en los que tu cuerpo se sienta más cómodo. Decide sobre la base de tu primera meta y escríbela en una libreta, tal y como se muestra en la página 234.

Cómo llenar la hoja de metas

Al inicio de la semana llena la meta principal. Esto te ayudará a mantener fuerte tu foco.

Luego completa la sección de mini-metas. Para tu primera semana, aumenta una pequeña cantidad a tu punto de partida para esa actividad. Recuerda, da pequeños pasos, no saltos grandes. Tendrás que decidir lo que es razonable para ti.

Recuerda llenar las secciones de recompensa. Es importante que celebres tus éxitos, reconociendo y alabando tus logros. De igual forma, si puedes comparte tus objetivos y éxitos con otras personas.

Todos los días anota un pequeño comentario en la sección de "notas" acerca de cómo lo hiciste y luego decide cuál es la meta de tu siguiente día. Puede ser la misma meta, o una menor o mayor, dependiendo de cómo te hayas sentido ese día. Si tu objetivo es alcanzar algo un poco mayor, asegúrate de que se trate sólo de un pequeño paso. Tu camino de progreso puede subir y bajar un poco, pero tu meta general deberá ser que mejores gradualmente durante la semana.

Es muy útil que llenes tu hoja de metas todos los días hasta que exitosamente alcances tu meta.

La primera hoja de metas que Lucy llenó se veía como la que está en la página 234.

Ejemplo de una hoja de metas

META PRINCIPAL:

Mi recompensa por haber alcanzado mi meta principal será:

MINI-META para la semana:

Mi recompensa por haber alcanzado mi mini-meta será:

Día	Meta diaria	Lo que hice	Notas
Lunes			
Martes			
Miércoles			
Jueves			
Viernes			
Sábado			
Domingo			

¿Cómo lo hice esta semana?

¿Obtuve mi recompensa?

Mini-meta para la siguiente semana

Hojas de metas de Lucy

META PRINCIPAL: *Caminar a la tienda de ida y vuelta durante seis semanas (media milla) sin tener dolor extra.*

Mi recompensa por haber alcanzado mi meta principal será: *Una tarde especial fuera de casa.*

MINI-META para la semana: *Caminar la mitad del camino ida y vuelta (unos 700 pasos en total)*

Mi recompensa por haber alcanzado mi mini-meta será: *Una bolsa de mezcla de frutas y nueces y mi revista favorita*

Día	Meta diaria	Lo que hice	Notas
Lunes	*550 pasos*	*480*	*Demasiado lejos, lo recorté*
Martes	*450*	*450*	*Bien. Haré lo mismo el miércoles*
Miércoles	*450*	*450*	*OK*
Jueves	*500*	*500*	*Bien hecho*
Viernes	*525*	*525*	*Bien hecho*
Sábado	*575*	*575*	*Excelente*
Domingo	*600*	*600*	*¡Lo logré!*

¿Cómo lo hice esta semana? *Muy bien, me apegué a mi plan.*

¿Obtuve mi recompensa? *¡Sí!*

Mini-meta para la siguiente semana: *Caminar otros 100 pasos extra –800 pasos en total*

PASO 11
EVALÚA TU PROGRESO

Y al final de cada semana, evalúa la semana anterior y pregúntate si alcanzaste tu meta cómodamente o si más bien fue una lucha.

¿Recibiste tu "recompensa" o no? Si te fue bien en la semana, sigue con tu programa aumentando una pequeña cantidad de actividad para la "mini-meta" de la siguiente semana. Sin embargo, si no alcanzaste tu "mini-meta" de una manera consistente, la siguiente semana puedes regresar a un nivel menor, dando pequeños pasos para avanzar. Algunas veces tal vez incluso necesites revisar toda la situación y considerar si tu meta global es demasiado alta para ti. Piensa creativamente para ver si hay alguna forma de cambiarla, tal vez modificando ligeramente tus objetivos menores por el momento.

Es raro que hagas un progreso directo hacia tu meta. Algunas veces los niveles de progreso caen y llegas como a un altiplano. Si esto te sucede, mantén tu ánimo en alto y revisa tus notas para ver cómo has progresado. Ver en retrospectiva te permite reconocer los logros que has alcanzado hasta el momento; te hace sentir bien y te da confianza para continuar. En esos momentos en los que estás nivelado, consérvate firme y sigue en el mismo nivel durante un tiempo, sabiendo que serás capaz de avanzar nuevamente cuando tu cuerpo se haya adaptado al nuevo nivel más felizmente. La paciencia, la determinación y la perseverancia son las palabras clave para las personas de éxito. Mientras tanto, como siempre, mantén tu ánimo en alto concentrando tu atención en lo que *puedes* hacer y manteniendo una imagen visual fuerte de la meta que tienes en mente.

PASO 12
VISUALIZA TU META

Una de las formas más emocionantes y vitalmente importantes en las que te puedes ayudar a alcanzar tus metas es utilizar tu imaginación para visualizar que cumples tus objetivos con éxito. Puedes hacerlo fácilmente de la siguiente manera:

> *Tomate un pequeño descanso en un momento en el que no seas molestado, y ponte realmente cómodo, ya sea sentado o recostado. Comienza cerrando los ojos y llevando tu atención a tu respiración. Simplemente deja que se haga un poco más lenta y profunda. Siente cómo las olas de relajación comienzan a atravesar todo tu cuerpo. Viaja en tu mente por tu cuerpo, dejando que cada parte se vaya tornando más caliente, más pesada y cada vez más relajada.*
>
> *Cuando estés completamente relajado usa tu imaginación y visualízate cómo estarías en el momento en el que alcances tu meta. El día es perfecto y todo está bien para ti. Te sientes fuerte y confiado, lleno de satisfacción y orgullo,*

sabiendo que has alcanzado por tu propio esfuerzo la meta que escogiste. Sea cual sea tu meta, visualízate llevándola a cabo con facilidad y confianza. Si la meta es caminar, visualiza que vas caminando erguido y libremente. Si la meta consiste en estar cómodamente sentado, vete sentado en una posición cómoda y relajada, ocupado felizmente en alguna actividad de tu elección. Visualízate haciendo lo que escogiste. Ten la percepción de lo que está ocurriendo a tu alrededor, de lo que llevas puesto, de los colores, sonidos, olores y texturas que están a tu alrededor. Si estás sentado escribiendo, siente el papel y la pluma, la mesa, la silla; ve cómo la pluma se mueve por el papel. Si estás manejando, ve el am-biente que está a tu alrededor, ve los colores y escucha los sonidos. Visualiza y siente tanto como puedas de toda la escena, sea cual sea. Vete con una hermosa sonrisa y sabe que puedes estar así cada vez con más frecuencia. Siéntete orgulloso de ti mismo por alcanzar tu meta y sabe que puedes seguir adelante con confianza para lograr un éxito y satisfacción aún más grandes en cualquier área que escojas.

Continúa con tu visualización por tanto tiempo como desees y luego lentamente regresa a la habitación, sabiendo que puedes alcanzar con éxito ésta y cualquier otra meta que elijas.

Utiliza tu visualización todos los días para acercar cada vez más tu meta hacia ti. Cuando vemos nuestro éxito en la mente o lo sentimos en nuestro cuerpo, es más seguro que nuestra meta se convierta en realidad pues, "Aquello que podemos concebir y en lo que podemos creer, podemos lograr".

FELICIDADES

Muchas, muchas cosas que habías pensado estaban fuera de tu alcance pueden ser alcanzadas a través de la regulación, planeación y establecimiento de metas.

Al tener tus nuevas habilidades y tu dolor más controlados, puedes tener un sentimiento supremo de "¡Lo hice por mí mismo!" El éxito es tuyo y sólo tuyo. Mereces tener éxito y lo vas a tener. En todas las etapas de tu Programa de Regulación reconoce y felicítate por tus logros. No pases por alto el sistema de recompensas que forma parte de la técnica de establecimiento de metas, pues es una parte vital del programa. Todos respondemos a los reconocimientos, y ¿quién mejor que tú para darte uno? Estás dando grandes pasos hacia la obtención del control sobre tu dolor y esto es un logro que no puede ser minimizado de ninguna manera. Puedes estar orgulloso de ti mismo.

Hacer y mantener un Programa de Regulación y Establecimiento de Metas es de vital importancia para aprender cómo manejar el dolor. Ten en mente que lo que estás haciendo es *para ti* y te ayudará a reducir el dolor; esto te permitirá realizar tus planes. Apóyate, y no te critiques ni enjuicies.

Esta es una maravillosa oportunidad para avanzar; tómala.

LINEAMIENTOS DE ACCIÓN

1 Mantente en contacto con tu cuerpo y sus necesidades. Utiliza la técnica "Detente y cambia" para "hablar" con tu cuerpo.

2 Trabaja con el Programa de Regulación. Mantén tus planes como para no excederte en hacer cosas cuando te sientas mejor. Recuerda concentrarte en una etapa a la vez.

3 Ponte una meta sencilla y comienza a trabajar para alcanzarla. Utiliza la técnica de establecimiento de metas tanto para las actividades de "disfrute" como para una actividad corporal.

4 Utiliza el Paso 12 para visualizar que alcanzas tu meta.

5 Trata de reducir los tiempos de descanso restándoles, digamos, un minuto cada vez, o intercambia alguno de esos momentos para tener una sesión de relajación o ejercicios.

6 Aparta tiempo para registrar tu progreso y tus éxitos en tu libreta personal.

7 Aparta tiempo para tu familia y amigos, y, si es posible, comenta tu programa con ellos para obtener su comprensión, apoyo y aliento.

UNIDAD 8

Disfruta

ÍNDICE

La técnica "disfruta" 243

Parte 1: ¿Qué es lo que disfrutas? 244

Cómo entra en contacto con tu yo interno 246

Date tiempo para disfrutar 248

Los descubrimientos que hizo Lucy a partir de su esquema 249

Es tu turno 250

Parte 2 ¿Qué te gustaría hacer? 251

Parte 3 Elige tu meta 254

Parte 4 Alcanza tu meta 255

Lineamientos de acción 258

LA TÉCNICA "DISFRUTA"

Las endorfinas, que nos hacen sentir bien, se producen en nuestro cuerpo cuando estamos relajados, concentrados y felices. Estas endorfinas son los analgésicos naturales de nuestro cuerpo, así que cuando estamos ocupados en actividades que disfrutamos no solamente estamos obteniendo placer sino que estamos permitiendo que fluyan nuestros procesos naturales de curación. A pesar de nuestras dificultades físicas podemos seguir disfrutando de actividades agradables en nuestra vida. De hecho, la razón por la que necesitamos asegurarnos de encontrar tiempo para disfrutar la vida es porque tenemos dolor.

Cuando te empezó a doler el cuerpo, tal vez alteraste tu estilo de vida para manejar la incomodidad y, por la preocupación que tenías al tratar de manejarlo, tal vez te olvidaste de separar un tiempo para divertirte. Disfrutar no es un lujo o una autoindulgencia. La expresión personal y la creatividad que todos obtenemos al disfrutar nuestros pasatiempos constituye uno de los aspectos más importantes de nuestra vida. Nuestros intereses y pasatiempos nos dan satisfacción duradera, nos hacen sentirnos más completos, más plenos; pensamos de una manera más positiva y nuestros niveles de estrés disminuyen. Lo mejor de todo: las actividades que disfrutamos nos distraen del dolor; después de todo, sólo podemos pensar en una cosa a la vez. Tómate un tiempo, hazte un tiempo para trabajar con la técnica "disfruta" y planea una campaña de acción que te ayude a añadir gozo a tu vida y mueva el foco de tu atención del dolor al placer. Al cambiar consistentemente este foco alteras por completo la percepción que tienes de la vida y del dolor y te vuelves una persona más feliz. El hecho de desarrollar fuertes "carreteras de placer" en tu cerebro te lleva a vencer los caminos del dolor.

PARTE 1 ¿QUÉ ES LO QUE DISFRUTAS?

Encuentra un momento en el que sepas que vas a estar en paz y sin ser molestado durante unos 20 minutos. Si se te hace difícil apartar un tiempo sólo para ti, explícale a tu familia y amigos que necesitas este periodo de silencio para hacerte cargo de tu dolor y reducirlo. Haz arreglos para que esta sesión sea realmente cómoda y llena de placer. Este tiempo es para ti, así que consiéntete. Dale rienda suelta a todos tus sentidos, los sentidos del olfato, la vista, el oído, el tacto y el gusto. Para inducir la comodidad, la sensualidad y la paz trata de incluir algunos de los elementos que a continuación enumero en el ambiente que escojas.

Un lugar tranquilo y cómodo para sentarte o comer, a la intemperie o en un lugar cerrado.

Un lugar soleado o un área fresca con sombra.
Agua tranquila o corriente.
Árboles y plantas.
Paisajes.
El sonido de pájaros.
Flores aromáticas.
Música suave.
Luces suaves, luz de velas.
Aire perfumado con aceites esenciales.

Haz arreglos para tener unas cuantas dosis de tu bebida favorita. Haz de este momento un momento especial. Es especial porque marca un nuevo comienzo para ti.

Utilizamos este sencillo método para descubrir lo que te causa disfrute. El método te permite contactar con tu yo interno, tu sabiduría interna, tu intuición. Todos tenemos este sentido interno de sabiduría que sabe instintivamente lo que necesitamos, lo que es bueno para nosotros y lo que es verdadero para nosotros. Esta intuición usualmente es abrumada por los ajetreos diarios y la hacemos a un lado. Al aprender a escuchar en silencio los mensajes de nuestro cuerpo y mente podemos hacer contacto con nuestro yo real. Cuando tomamos tiempo para hacer contacto con ella, este yo interno es la fuente de gran poder y fuerza dentro de nosotros. Con la práctica, descubrirás que este método de conexión es una herramienta sumamente útil que puedes utilizar en muchas áreas de tu vida, especialmente si tienes un problema que resolver.

No tienes que completar todo el ejercicio de una sola vez, puedes interrumpirlo al final de cualquiera de las etapas, si lo prefieres. Necesitarás algunas hojas de papel y una pluma o papel. Desconecta el teléfono si no hay nadie que lo conteste.

Cómo entrar en contacto con tu yo interno

Antes de que tomes tus materiales de escritura, relájate y permite que tu respiración se vuelva más profunda y lenta durante unos momentos. Luego, mientras exhalas, relaja tu rostro y esboza una ligera sonrisa. Esto te pondrá en un ánimo más calmado y reflexivo... Luego, calmadamente toma tu lápiz o papel y, en la parte media de tu hoja de papel, dibuja un círculo.

Escribe dentro del círculo:

Y ahora, tranquilízate, deja que tu mente se relaje y hazte la pregunta que se encuentra dentro

del círculo, permitiendo que tu mente produzca respuestas instantáneas para ti. Toma nota del primer pensamiento que te venga a la mente, pues es tu yo interno el que te está hablando. Escribe el pensamiento cerca del círculo unido a él con una pequeña línea.

Ahora relájate y regresa a la pregunta y haztela, escribiendo una vez más el primer pensamiento que te venga. Sigue haciéndote esta pregunta hasta que ya no broten más respuestas. A medida que vayas recibiendo las respuestas, ve escribiéndolas alrededor del círculo, en cualquier orden.

Puedes obtener aún más información si ves tu vida en retrospectiva y recuerdas todo lo que has disfrutado y te ha causado placer. Escribe absolutamente todas las experiencias que te han proporcionado una verdadera felicidad y te han hecho sentir bien, sean o no parte de tu vida actual. No tienen que ser cosas que "hagas"; asegúrate de incluir cosas que apelen a tus sentidos también, como escuchar, mirar, tocar, oler, probar. Tómate todo el tiempo que necesites para hacer este ejercicio.

Tu esquema se verá completamente diferente al ejemplo de la página 248 porque reflejará tus propios placeres.

Date tiempo para disfrutar

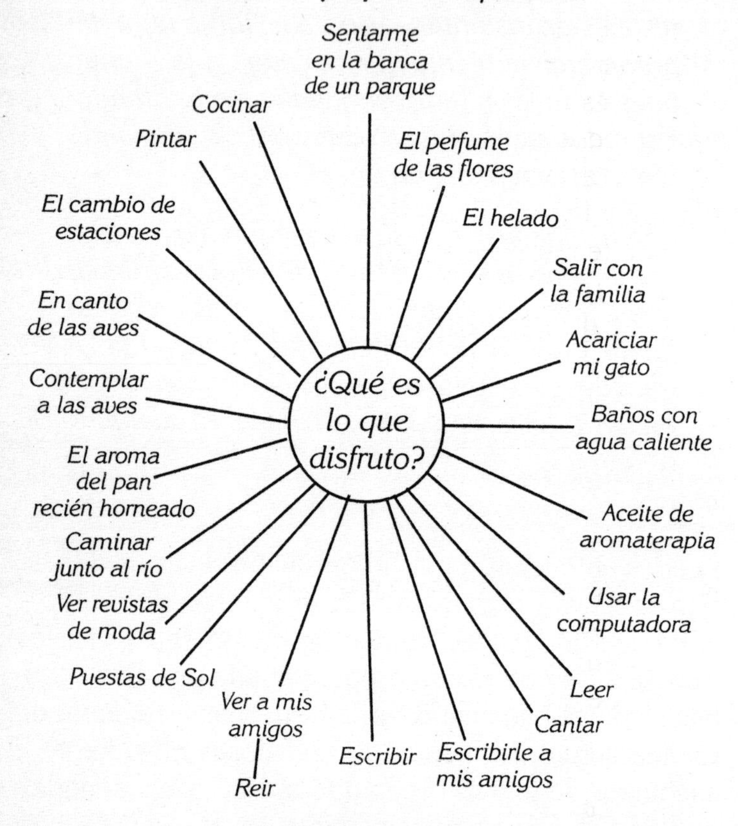

Gráfica de Lucy 1

Tendrás delante de ti una hoja llena de información acerca de las maneras en las que personalmente obtienes placer y disfrute. Este es un momento en el que puedes hacerte la promesa de que te tomarás o *harás* tiempo todos los días para disfrutar lo que te gusta, sin importar cuán ocupado estés o cuanto dolor tengas. No estás siendo ocioso, autoindulgente, flojo y no estás perdiendo el tiempo. Apartar un tiempo para disfrutar es una parte vital de aprender a enfrentar el dolor y reducirlo así como para intensificar tu vida. Tu familia y amigos también apreciarán a la persona relajada y feliz en la que te has convertido. Así pues, pregúntate muy temprano por la mañana "*¿Qué voy a hacer hoy para disfrutar mi día?*" Escoge un elemento de tu lista de actividades y placeres, fija un tiempo para hacerlo, mantén la actividad en mente hasta que llegue el momento y *disfrútala*. Haz esto todos los días. No tiene que ser algo espectacular; estamos hablando más acerca de placeres sencillos. Algunas veces es suficiente detenerse, pasar unos cuantos minutos disfrutando los alrededores, especialmente si esto puede incluir a la naturaleza en alguna forma. Tómate tiempo para disfrutar los olores, las vistas, las texturas y los sonidos que están a tu alrededor, haciéndote realmente consciente de ellos.

Los descubrimientos que hizo Lucy a partir de su esquema

Lucy descubrió que había muchas actividades en su esquema que le gustaría disfrutar inmediatamente, sin planear demasiado. Aunque su movilidad en el jardín es muy limitada, decidió que quería sembrar sus propias plantas en macetas dentro de casa. No fue sino hasta que Lucy terminó su esquema que se dio cuenta de lo importante que era para ella pasar un tiempo simplemente sentada en el jardín empapándose en la atmósfera apacible. Planea organizar una nueva área para poner flores perfumadas cerca de su banca favorita. Le encanta escribir y está decidida a mantener un contacto más cercano con su familia y amigos. Como un recordatorio, Lucy ha colgado una tarjeta en la puerta de su refrigerador que dice *"Lo que disfruto: ¿qué voy a hacer hoy?"* y contiene todas las actividades que ha escrito alrededor del círculo.

Es tu turno

Es poco probable que muchas de las actividades que tienes en tu esquema cuesten mucho dinero o requieran una gran planeación. Todo lo que se requiere es que te hagas consciente de los beneficios de apartar un poco de tiempo todos los días y que luego hagas un pacto contigo mismo de encontrar espacio para una o más de tus actividades placenteras. No importa si son 5 o 50 minutos, siempre que mantengas tu promesa. Toma la decisión de mantener este tiempo especial justo para ti para que lo disfrutes en cualquier cosa que te dé placer. Toma esto como una de las cosas más importantes de tu vida. Si te ayuda a recordar, haz una lista y cuélgala donde la puedas ver temprano en la mañana.

Todos los días:

- *Que lo primero que hagas en la mañana sea preguntarte "¿Qué puedo hacer hoy para disfrutar mi día?"*
- *Lee tu lista y añade las ideas que te vengan a la cabeza.*
- *Haz algo de tu lista al menos una vez al día.*
- *Felicítate por llevar disfrute a tu vida.*

PARTE 2 ¿QUÉ TE GUSTARÍA HACER?

El siguiente paso después de identificar lo que actualmente disfrutas es descubrir una meta para un emocionante nuevo proyecto para traer aún más placer a tu vida. Esta vez vas a descubrir qué actividades te gustaría hacer para disfrutar si tan sólo tuvieras la oportunidad o el tiempo para hacerlas. Esto podría incluir algo que siempre has ambicionado o algo que siempre has soñado hacer algún día.

Utiliza el mismo método de la Parte 1 para contactar con tu yo interno, ese yo especial y verdadero que vive en lo profundo de ti. Esta parte siempre sabrá lo que realmente necesitas y deseas. Con la ayuda del círculo para centrar tu atención puedes descubrir con exactitud qué es lo que podría darte una satisfacción duradera a un nivel profundo. Una vez más, necesitarás algunas hojas de papel y una pluma o lápiz.

Antes de que comiences, date unos cuantos momentos y céntrate en tu respiración a medida que entra y sale de tu cuerpo. Deja que su respiración sea cada vez más profunda y lenta. Mientras exhalas, permite que tu rostro se relaje y sonría ligeramente. Esto te pondrá en un estado más calmado y reflexivo... Luego, lentamente toma tu pluma o lápiz y en medio de tu hoja dibuja un círculo. Escribe en medio de él:

Lo que me *gustaría* hacer para divertirme

Toma el mismo enfoque que en la Parte 1. Relájate, hazte la pregunta y deja que tu intuición te dé las respuestas. Anota todas las cosas que siempre has querido hacer, aún si piensas que podría ser un tanto difícil hacerlas en este momento. Esto puede darte ideas para otra actividad que sí puedas hacer o tal vez puedas llevar a cabo esa actividad más adelante. Sigue haciéndote la pregunta hasta que hayas agotado todas las respuestas posibles.

Piensa en algunas de las cosas que siempre pensaste te gustaría hacer si tuvieras el tiempo o el espacio.

Puedes recordar algún hobby anterior o deseo que hayas tenido que te gustaría volver a probar. Deja que tu imaginación vuele libremente. Si siempre has deseado pintar o cantar, escríbelo. Si escribir o hacer trabajos manuales te gusta, escríbelo. Quieres descubrir lo que *realmente* desearías hacer; quieres descubrir tus sueños. Sólo lo van a ver tus ojos, así que ábrete y admite tus tan anhelados deseos, no importa si son actividades "ordinarias" o más ambiciosas. Todo lo que importa es que son especiales para *ti*. No tienes que escribir nada que impresione a alguien más o complazca a alguien más; esto es sólo para ti. Tu esquema se verá completamente diferente al de Lucy —que se muestra en la parte de abajo— porque reflejará tus intereses y ambiciones.

Gráfica de Lucy 2

PARTE 3 ELIGE TU META

Ahora tienes una página llena de anotaciones de situaciones que te proporcionan placer y otras actividades que te gustaría hacer para tu propio disfrute. Esta información es tu base de datos para escoger una actividad como tu nueva meta. Puede ser algo que ha sido tan sólo un sueño que ahora puedes ser capaz de realizar, o una actividad que has dejado a un lado y que puedes retomar. Las listas muy bien pueden llevarte a algo nuevo en lo que ni siquiera habías pensado con anterioridad.

Observa cuidadosamente tus notas y luego hazte unas cuantas preguntas para aprender más acerca de lo que realmente te gusta, te da placer y lo que ambicionas. Haz preguntas como éstas (no hay respuestas correctas o incorrectas):

¿Las situaciones que te dan placer caen en las mismas categorías básicas?

Por ejemplo, ¿son principalmente

Sociales, que tienen que ver con otras personas?

¿prácticas, donde se utilizan materiales u objetos del mismo tipo?

¿la lectura o manejo de información en algún sentido?

Si todas son similares, ¿hay algo más que te gustaría hacer para crear un cambio o para equilibrar tu vida?

Ahora bien, de tu lista escoge sólo una actividad a desarrollar. Al escoger, ten en mente tu situación actual y trata de encontrar algo que podrías lograr de forma razonable en pequeños pasos. Necesitas asegurarte de que tu lista ha producido algo que esté dentro de tu campo de acción.

PARTE 4 ALCANZA TU META

Habiendo escogido tu meta, escríbela en el centro de otro círculo en una hoja grande en blanco. Es importante que tu meta esté expresada como un enunciado claro y preciso de lo que quieres lograr, como "Quiero pintar con acuarelas", o "Quiero ir al club cada semana".

Luego, anota alrededor del círculo todo lo que te venga a la mente que necesites hacer para alcanzar tu meta. De esta forma sabrás exactamente lo que se requerirá. Al seccionar tu meta en distintos pasos podrás lograr con éxito tu objetivo. Cada paso es un logro para ti, así que recuerda felicitarte a medida que progreses.

Puedes necesitar partir cada paso en más etapas, conectarlas con líneas como en el ejemplo de la página 257. Haz listas separadas para cada uno de los pasos si la página empieza a llenarse. Pregúntate qué necesitas hacer para dar cada paso. Pregunta "¿cuándo?", "¿dónde?", "¿cómo?" para cada paso. Por ejemplo:

Si necesitas obtener libros de referencia, ¿cómo los vas a conseguir?

¿Dónde los vas a conseguir?

¿Cuándo vas a poder hacerlo?

¿Hay algo dentro de esta actividad que es muy doloroso hacer para ti en este momento?

¿Cuál es tu nivel actual de tolerancia al dolor para esta actividad?

¿Puedes mejorarlo de alguna manera?

Cuando hayas descubierto tu punto de partida, ¿cuándo puedes comenzar?

Lucy examinó sus notas con mucho cuidado y llegó a la conclusión de que quería concentrarse en escribir cuentos para niños. Necesitaría pedirle a algunos de sus amigos que le ayudaran a conseguir libros, y el mecanografiado debería hacerse en pequeños lapsos pues ella no podía estar sentada durante mucho tiempo. Lucy pensó que podría utilizar sus momentos de descanso para hacer notas y luego mecanografiarlas después. Estaba deseosa de comenzar y planeó empezar en ese preciso instante haciendo unas cuantas notas para su primera historia.

Observa el esquema para ver cómo ejercitó Lucy sus actividades de escritura. Este es tan sólo un ejemplo;

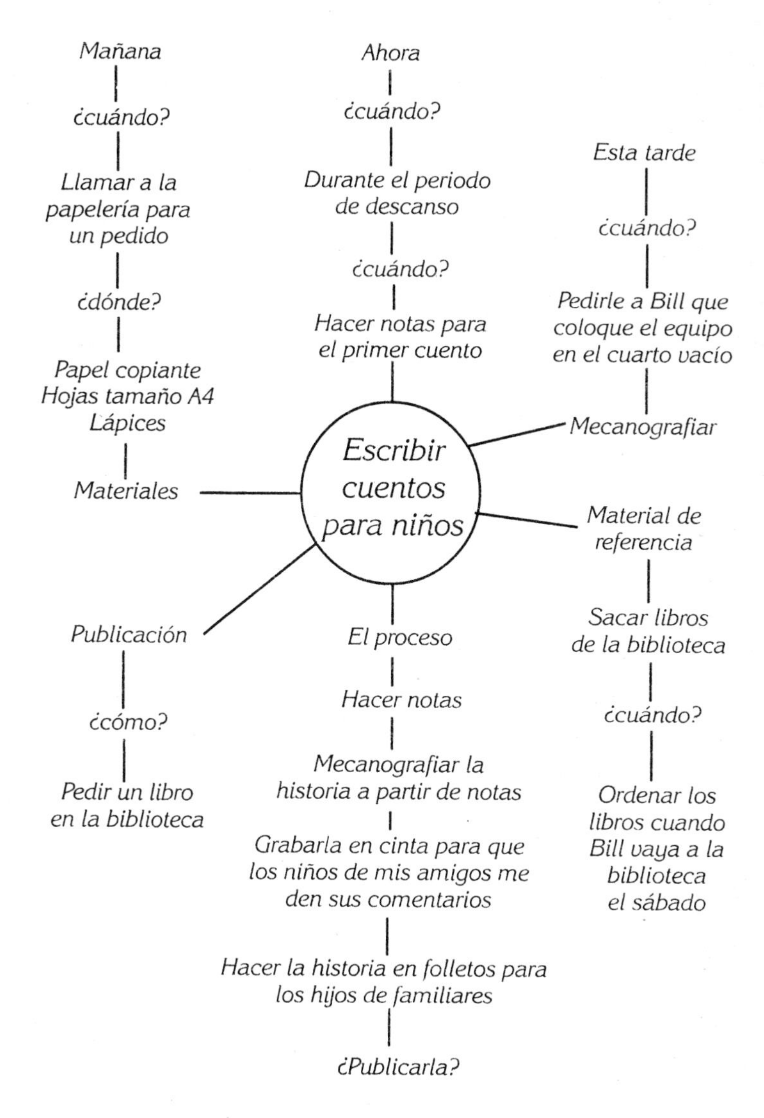

Gráfica de Lucy 3

lo que tú quieras hacer probablemente sea totalmente diferente. Tus esquemas y ambiciones serán sólo tuyos, y reflejarán tus propios intereses personales.

Puedes descubrir que te toma mucho tiempo pasar por todos los pasos que te llevan a alcanzar tu meta, pero nunca te detengas.

¿Recuerdas a la liebre y la tortuga y su carrera? "Lenta y firme" ganó la carrera. No pierdas de vista tu meta y asegúrate de que cada paso esté dentro de tus capacidades; *disfruta* cada paso por sí mismo. Si descubres que has abarcado mucho, regresa a un nivel más razonable y luego construye nuevamente con más cuidado.

Cuando hayas completado esta primera meta, o estés a punto de hacerlo, tal vez quieras tomar otra. Al usar el método del círculo para contactar con tu sabiduría interna ahora sabes cómo asegurarte el éxito.

LINEAMIENTOS DE ACCIÓN

1 El aspecto más importante de esta Unidad es que aprendas a concentrarte en tener disfrute en tu vida para que fortalezcas las "carreteras del placer" en tu mente. Nunca abandones tu meta, no importa cuánto te tome alcanzarla.

2 Encuentra el punto de partida para tu nueva meta y comienza inmediatamente apartando un

tiempo corto todos los días para tu actividad. La distribución del tiempo reflejará lo que es razonable para tu capacidad física y tu nivel de dolor. Sisólo son unos cuantos minutos, está bien; si es una hora o más, también está bien. Haz una prioridad el hacer algo que te lleve hasta tu meta todos los días sin fallar.

3. Además, escoge algo de tus listas de "actividades de disfrute" al menos una vez al día.

4. Que lo primero que hagas por la mañana sea preguntarte "¿Qué puedo hacer para DISFRUTAR mi día?" Haz esto TODOS LOS DÍAS.

5. Desarrolla una relación con tu yo interno. Esta parte sabia de ti mismo siempre está a tu disposición para que la consultes en momentos de necesidad. Puedes hacerle preguntas a tu sabiduría interna como "¿Qué necesito en esta situación?", "¿Qué estoy sintiendo con respecto a esta situación?", "¿Qué quiero?", "¿Cómo puedo ayudar a que mi cuerpo se recupere?", o cualquier otra pregunta que sea relevante para ti en un momento dado. Tal vez no siempre recibas una respuesta instantáneamente, pero con seguridad la respuesta vendrá, tal vez durante el día o incluso unos días después. Sabrás cuándo ha llegado la respuesta porque tendrás un sentimiento de "¡Claro, ya entiendo!", como si se hubiera encendido una luz en tu interior.

UNIDAD 9

Ataques de dolor

ÍNDICE

Plan de acción en caso de ataques	263
Paso 1 Detente	264
Paso 2 Respiración diafragmática y afirmaciones	266
Resumen de los pasos 1 y 2	270
Paso 3 Escoge tu siguiente estrategia	271
Relajación	271
Relajación de la luz dorada	272
Relajación y afirmaciones	275
Meditación	277
Visualización	280
Libera tus sentimientos	284
Fomenta las emociones positivas	286
Acepta la situación	288
Perdón	290
Autorregulación	292
Autorregulación en la primera etapa	293
Autorregulación en la segunda etapa	294
Autorregulación en la tercera etapa	295

Afirmaciones para los ataques de dolor 296
Aprender de los ataques 298
La alabanza y las felicitaciones 300
Resumen 301
Resumen del plan de acción para los ataques 301

Las recaídas o ataques de síntomas ocurren de vez en cuando, cuando tu cuerpo te dice en términos indefinidos que necesita más atención y cuidados que siempre. El momento de un ataque es cuando necesitas tener especialmente una actitud de amor y compasión contigo mismo, además de estrategias bien planeadas para manejar la situación. Si tienes un ataque en este momento —aunque no hayas leído o utilizado las técnicas descritas en lo que resta del libro— aquí vas a encontrar ideas para ayudarte a manejar la situación, y una estructura para enfrentar los posibles ataques en el futuro. Los ataques son demasiado rápidos y se manejan con más facilidad si sabes de antemano qué hacer para calmar de nuevo las aguas.

PLAN DE ACCIÓN EN CASO DE ATAQUES

Una recaída o ataque puede presentarse muy rápidamente, quizá como resultado de hacer demasiadas cosas, de un accidente o de una enfermedad; o puede presentarse de manera gradual, y sólo puedes notar que estás teniendo dificultad para realizar tus actividades después de un tiempo. Tan pronto como te des cuenta que estás en un ataque necesitas comenzar un Plan de Acción en caso de Ataques con el fin de sostenerte, nutrirte y asegurarte que salgas más fortalecido y más resistente. Hay muchas técnicas maravillosas a tu disposición para calmar el dolor y mantener tu espíritu positivo durante un ataque. Este es el momento de utilizar todas esas habilidades que has adquirido, y después del ataque, cuando te sientas mejor, de investigar algunas técnicas nuevas.

Un ataque no es algo que tengas que enfrentar solo. Utiliza este libro como un amigo y guía en tu camino para que te sostenga, y sabe que mis pensamientos están dondequiera que te encuentres.

PASO 1 DETENTE

> *Enfréntalo: DETÉN de inmediato lo que estás* haciendo y pensando, *toma el control y decide realizar tu Plan de Acción en caso de Ataques.*

Tan pronto como te das cuenta de que tu cuerpo no está contento y que te lo está diciendo en términos muy fuertes, llegas a un punto de decisión. Puedes elegir continuar, o detenerte y cambiar la dirección y empezar a practicar tu plan de acción en caso de ataques. Por tanto, tan pronto como te des cuenta de que te encuentras en un ataque, lo primero y más importante que debes hacer es *enfrentar el ataque* y decidir hacerte cargo de la situación. Es como si el camino por el que vas hubiera llegado a una "Y" y hubiera una señal que dijera "continúe como está", o si te fueras por el otro lado diría: "plan de acción en caso de ataques". Cuando tomas la decisión de irte por el plan de acción es como si prendieras un interruptor dentro de ti e inmediatamente se apagaran todos los sentimientos de desamparo y te conectaras a sentimientos positivos de estar en control de la situación. La mejora ocurre porque has enfrentado la situación y has fomentado una actitud constructiva: estás de nuevo a cargo y estás dispuesto a encontrar maneras de ayudarte a ti mismo.

Así pues, cuando tus pensamientos estén tambaleándose y estés sintiendo la fuerza de los síntomas del ataque, lo primero que tienes que hacer es decir

"DETENTE"

Ve como si hubiera un semáforo en rojo en la "Y" del camino del que hablamos antes. Di "DETENTE" en voz alta o dentro de tu cabeza, pero necesitas decirlo muy firmemente y con convicción para imprimir el mensaje en tu mente subconsciente (hablaré más de la mente subconsciente y del diálogo interno positivo después). El simple hecho de decir "detente" con firmeza provocará un impacto en tu mente y entrará en un bendito silencio de unos cuántos momentos. El espacio que has creado en tu mente sólo dura un segundo. Capitaliza la gracia de este momento; te permite cambiar la dirección del camino que has estado recorriendo. Para "viajar" por el nuevo camino necesitas llenar rápidamente el interior con un espacio nuevo y constructivo creado en tus pensamientos para asegurarte que no hay espacio negativo para que entren palabras negativas.

Utiliza los pensamientos positivos contenidos en la siguiente lista de afirmaciones para darle marco a este primer paso del plan de acción en caso de ataques. Repite las oraciones con una convicción real, una y otra vez, de todo corazón, afirmando que estás a cargo de la situación:

En primer lugar: DETENTE.

Luego afirma: "Sé que hacer".

"Yo estoy a cargo aquí".

"Puedo manejar esto si utilizo las estrategias mencionadas en el plan de acción en caso de ataques".

PASO 2 RESPIRACIÓN DIAFRAGMÁTICA Y AFIRMACIONES

Utiliza la respiración diafragmática profunda combinada con las afirmaciones para aliviar el dolor naturalmente y con una manera de pensar tranquila y positiva.

Habiendo obtenido un control inicial sobre la situación y sobre esos pensamientos negativos, es esencial que permanezcas con ese control. Este es el momento de que te concentres en dirigir tu siguiente acción. Ahora vas a enfocarte en la respiración diafragmática profunda, pues esta es la clave para el alivio natural del dolor, y posteriormente será la base de la relajación y de las prácticas de meditación.

La respiración diafragmática ayudará a aliviar las tensiones de tus músculos, relajará tu mente y permitirá que fluyan los analgésicos naturales de tu cuerpo, las endorfinas. Esta es la manera de concentrarte en la respiración diafragmática:

Ponte cómodo en cualquier posición en que te encuentres, parado, sentado o acostado. Asegúrate que la ropa que usas esté holgada en la parte del tronco. Respira por la nariz y lleva tu atención a tu abdomen, y simplemente observa cómo sube y baja con la entrada y salida del aire. Permite que tus hombros caigan. En la siguiente exhalación, abre la boca y deja salir el aire con un suspiro audible. Deja que el aire entre hasta tu abdomen de esta manera: "Ahhhhhhhhhhhhh"... Deja que todo se vaya. Trata de sonreír un poco; esto relajará los músculos de tu rostro y enviará mensajes positivos a tu mente subconsciente. No fuerces nada, sé suave.

En la próxima exhalación suspira de nuevo, esta vez dejando que el suspiro vaya desde la parte superior de la cabeza y baje por tu cuerpo hasta tus pies. No hay necesidad de pujar o de estirarse. La exhalación puede ser más prolongada que la inhalación. No necesitas preocuparte por inhalar, ocurrirá solo.

Después de estas dos respiraciones de liberación puedes dejar que tu respiración se vuelva silenciosa y tranquila. Nota cómo tu respiración se ha vuelto más lenta y profunda. Nota cómo la parte inferior del tórax se expande y se contrae en el frente, la parte posterior y la parte lateral. Verifica que tus hombros permanezcan abajo y relajados. Sigue poniendo atención a cinco o seis de estas respiraciones tranquilas. Esta es la respiración diafragmática o abdominal. (Véase la unidad 1 para mayor información).

Guíate y date apoyo en la etapa intensa del ataque repitiendo algunas afirmaciones una y otra vez en voz alta para reforzar el impacto positivo que producen.

Escoge de entre estas afirmaciones tranquilizantes e instructivas, o inventa unas similares. Repítelas silenciosamente y con tranquilidad para tus adentros, en tu cabeza o en voz alta.

"Me concentro en mi respiración".
"Está tranquilo... permanece calmado".
"Relájate... esto pasará".
"Exhala y suelta todo..."
"Mi respiración es lenta y estable".
"Suelto todo, floto y fluyo con mi respiración".

"Me tomo un momento a la vez y me concentro en lo que estoy haciendo".
"Dejo ir los pensamientos del pasado y del futuro".
"Inhalo relajación y energía sanadora" (Inhala)
"Inhalo y me relajo... (exhala) Exhalo y me suelto..."
"Inhalo las sensaciones y mi cuerpo está suave".

"Dejo que las sensaciones floten a mi alrededor".
"Con pensamientos alentadores y positivos puedo hacer maravillas".

O simplemente puedes decir,

"Paz", "relájate" o cualquier otra frase tranquilizante.

Si las sensaciones de tu cuerpo son muy intensas, quizá sea preferible que escojas sólo una afirmación que haga resonancia en ti. Sigue repitiéndola una y otra vez hasta que las sensaciones cambien o desaparezcan. En el punto más álgido de un ataque quizá quieras concentrarte en el ritmo de tu respiración solamente.

Verifica tu respiración durante el día para asegurarte que estás respirando de manera natural.

Sigue utilizando afirmaciones alentadoras y de apoyo durante todo el ataque. La manera en la que ves el ataque y lo que te dices hace una gran diferencia. Es natural y entendible que algunos pensamientos ne-gativos entren a tu mente en ese momento, pero no te resulta útil estar rumiándolos. En este libro compilamos afirmaciones dinámicas que te levantan el ánimo a partir de las cuales puedes escoger unas cuantas o usarlas como ideas para crear las tuyas. Es útil escribirlas en tarjetas que te sirvan como recordatorios y tenerlas cerca. Repite las palabras una y otra vez muchas veces durante el día, ya sea en voz alta o en tu cabeza. Dilas poniendo todo el corazón, dándole un significado real a las palabras, aunque no pienses o te sientas como dicen las afirmaciones en ese momento. No te estás engañando: estás haciendo que las afirmaciones te indiquen el camino que debes seguir. Son más bien instrucciones. (Para saber más acerca de las afirmaciones véase la unidad 2).

Si los pensamientos negativos vuelven a aparecer en algún momento del ataque, detenlos inmediatamente y regresa a los pasos 1 y 2 del Plan de Acción en caso de Ataques.

RESUMEN DE LOS PASOS 1 Y 2

Paso 1

- Enfréntalo de inmediato y di "detente" a lo que estás haciendo y pensando.
- Toma el control y decide cambiar tu plan de acción en caso de ataques.

"Sé qué hacer"

Paso 2

- Utiliza la respiración diafragmática combinada con las afirmaciones para aliviar el dolor de manera natural y con un estado mental tranquilo y positivo.

"Me concentro en mi respiración"

PASO 3
ESCOGE TU SIGUIENTE ESTRATEGIA

Una vez que estás nuevamente en control de la situación gracias a la respiración tranquilizante y a algunas afirmaciones puedes concentrarte en otras estrategias que también son muy útiles.

Las ideas mencionadas en el paso 3 no están en un orden específico; sin embargo, la relajación es un principio excelente para tu Plan de Acción en caso de Ataques y la regulación se aborda mejor en los primeros momentos del ataque.

Revisa las ideas del paso 3 y selecciona las técnicas que te llamen la atención. Quizá descubras que algunas técnicas son más efectivas para ti que otras en diferentes etapas del ataque. No hay una manera correcta y única de apoyarte durante un ataque, así que utiliza cualquier cosa que te ayude.

Relajación
(Véase la unidad 1 para más ideas)

El método de respiración diafragmática descrito en el paso 2 te lleva de manera natural al proceso de relajación. Siéntate o acuéstate durante la sesión por un lapso de quince o veinte minutos, y entra en un estado mental y corporal profundamente pacífico y relajado. En el momento del ataque, cuando tu cuerpo tenga una necesidad mayor que la mayor parte del tiempo, date tantas sesiones de relajación como puedas en el día; la respiración profunda y la relajación son la clave para obtener un control natural efectivo del dolor.

La relajación te tranquilizará, y a medida que sueltes la tensión, te dará algo de alivio del dolor. Cuando te relajas profundamente no sólo sueltas los músculos apretados: algunas veces también puedes liberar emociones y pensamientos a los que te has aferrado, quizá sentimientos de tristeza por el ataque de dolor. Cuando esto ocurra, permite que estos pensamientos y sentimientos salgan a la superficie y déjalos ir. Una vez que surjan y se experimenten serán liberados y consumidos. Agradece esta oportunidad de liberar la tensión interna. Sigue con tu práctica de relajación, pues finalmente es uno de los factores para reducir y manejar el dolor. Agrega algunas afirmaciones para introducir información consistente en pensamientos positivos.

Relajación de la luz dorada

Prueba este maravilloso ejercicio de la relajación dorada como siguiente estrategia en el Plan de Acción en caso de ataques. Le dará a tu cuerpo y a tu mente paz y tranquilidad y permitirá que tu energía sanadora natural fluya. Tómate tu tiempo, y donde haya puntos suspensivos, haz pausas para disfrutar la relajación. Si te es posible graba el guión o pídele a alguien que te lo lea para obtener un gran beneficio.

Encuentra un lugar callado y quítate los zapatos y suéltate toda la ropa apretada. Acuéstate donde puedas estar cómodo y abrigado. Asegúrate de que no te interrumpan durante aproximadamente veinte minutos. Tómate unos momentos para permitir que tu cuerpo se suelte y se relaje sobre la superficie en la que estás acostado...

Lleva tu atención a tu respiración y, respirando por la nariz, observa durante algunos minutos cómo entra y sale. No hay necesidad de forzarla, la respiración profunda y natural ocurre silenciosamente y sin esfuerzo. No hay necesidad de hacer nada excepto observar cómo tu respiración se está volviendo más lenta y profunda. Observa cómo te estás tranquilizando y cómo tu cuerpo es parte del subir y bajar suave de tu abdomen.

Con cada respiración esparces relajación y tranquilidad por todo tu cuerpo... Viaja con tu mente por todo tu cuerpo y hazte consciente de cada parte según la recorras... A medida que lo haces, relájate cada vez más... Siente como cada parte está más cómoda y recibe calor... Relaja tu cuello... Tu cabeza... Tu cara que está fría y tranquila... Tus hombros que se relajan y se hunden en la superficie debajo de ellos... Tus brazos... Tus manos... Tu espalda... Tus piernas... Tu abdomen... Siente que tus pies y tus piernas están pesados...

Ahora, cuando inhales, imagínate que también inhalas una tenue luz dorada... Tu respiración lleva la luz por todo tu cuerpo... Y todo tu cuerpo se llena con esta dorada luz curativa... Lleva tu mente a cualquier área que necesite atención especial y ve cómo la luz fluye a esa área, bañándola con una relajación tranquilizante y con más paz... El poder curativo natural de tu cuerpo se energetiza con la relajación...

Imagina que hay tanta luz dorada en tu cuerpo que se desborda, y tú también estás rodeado con esta hermosa luz como si tuvieras un aura brillante y dorada a tu alrededor... Ahora todo tu cuerpo se está nutriendo y llenando de calma, por dentro y por fuera... Inhalas luz dorada curativa... Y exhalas esta misma luz...

Tómate unos momentos más para disfrutar la paz y el consuelo que has creado, y luego llévate estos sentimientos a medida que lentamente y gradualmente te vuelves consciente de la superficie sobre la que estás acostado, y, cuando estés listo, regresa al lugar donde te encuentras. Permanece acostado por un momento y disfruta la paz que siempre está dentro de ti... Y recuerda que puedes tener este sentimiento cuando lo desees: siempre está ahí para ti... (Haz una pausa larga...) Tus poderes curativos están funcionando en este momento y todo está bien.

Sabe que cada vez que te relajas de esta manera tan profunda estás maximizando tus poderes curativos naturales.

Cuando estés listo, estira tus dedos y los dedos

de los pies... Siéntete en paz y tranquilo, pero alerta y listo para continuar con las labores del día, llevándote estos sentimientos de relajación contigo.

Utiliza este método de relajación por lo menos una vez al día, y con mayor frecuencia cuando tu cuerpo necesite cuidados adicionales y una atención amorosa.

Relajación y afirmaciones

Una de mis maneras preferidas de relajarme es utilizar un método que felizmente combina técnicas de afirmaciones con la relajación. La técnica que describo a continuación produce una relajación muy agradable porque es simple y adaptable. El ritmo y el patrón de las palabras es muy repetitivo y tranquilizante y es una práctica maravillosa para hacerla como última cosa en la noche y así tener un sueño tranquilo.

En tu mente habla a las distintas partes de tu cuerpo y deja que se relajen y se suelten. La lista que presento a continuación es una lista de ejemplos, pero debes escoger palabras que resuenen en tu interior. Por ejemplo, en vez de utilizar las palabras "Estoy en paz y en calma" podrías usar las palabras "pesado y tibio" o "suave y holgado".

Los dedos del pie izquierdo están en paz.
Los dedos de mi pie izquierdo están en paz y en calma.

Los dedos de mi pie izquierdo se están relajando.

Los dedos del pie derecho están en paz.
Los dedos de mi pie derecho están en paz y en calma.
Los dedos de mi pie derecho se están relajando.

Mi pie derecho... etc.

Utilizando el mismo formato, habla de tus tobillos, tus muslos, tus rodillas, tu pelvis, de todo tu abdomen, sube por la espalda, baja por los brazos, luego por tu cuello y tu cabeza. Incluye cualquier parte de tu cuerpo que necesite atención especial y tiempo extra. También puedes incluir tus "órganos internos", si así lo deseas: tu corazón, estómago. A mí me gusta terminar con

Mi mente está en paz,
mi mente está en paz y en calma,
mi mente se está relajando.
Mis sentimientos están en paz,
mis sentimientos están en paz y en calma,
mis sentimientos se están relajando.
Todo dentro de mí está en paz y en calma,
el aire a mi alrededor está en paz y en calma,
estoy unido con todo y con todos.

Como se mencionó con anterioridad, esta relajación es maravillosamente útil si la utilizas para calmarte y relajarte a la hora de irte a dormir. Sin embargo, si te despiertas en la noche o sigues teniendo dificultades para dormir, levántate después de 20 minutos aproximadamente para romper el patrón de "no dormir". No trates de analizar la situación; acéptala como es. Di "ALTO" a los pensamientos negativos y repite para tus adentros: "El *mañana* es para pensar. Hago a un lado mis preocupaciones hasta entonces. Este momento es para *sentir*". Camina un poco, estírate o haz algo tranquilamente durante un tiempo corto y luego regresa a la cama y vuelve a *sentir* la relajación nuevamente sin pensar, sino concentrando tu atención en sentir las diferentes partes de tu cuerpo.

Estas son algunas sugerencias de afirmaciones que puedes utilizar a lo largo del día o en tu tiempo de relajación.

Aparto tiempo todos los días para relajarme.
Estoy en paz y en calma.
Me es fácil relajarme,
cuando me relajo, dejo ir todas mis preocupaciones.
Me relajo y me desprendo... es una sensación maravillosa.
Cuando me relajo permito que mi proceso curativo fluya.
Me estoy cuidando en una forma profunda y nutricia.
Duermo apaciblemente toda la noche.

Meditación

(Véase la unidad 6 para obtener mayores detalles)

Aunque la meditación y la relajación tienen algunas similitudes —en lo que se refiere a que casi siempre nos sentamos o acostamos durante un periodo de tiempo y entramos en un estado mental diferente— tienen objetivos muy diferentes. Tal vez podamos ver a la relajación más como unas "vacaciones" y la meditación como un "regreso a casa". Durante la relajación casi siempre nos escapamos de lo que estamos haciendo y pensando durante el día. Cuando estamos meditando deliberadamente permanecemos muy conscientes de lo que está pasando a nuestro alrdedor así como de "regresar a casa" a nuestro verdadero yo interior donde existe un espacio sin tiempo. Podemos utilizar tanto los métodos de la meditación como de relajación en diferentes momentos del día o podemos optar por una de estas técnicas.

La meditación se lleva a cabo mejor en una posición erguida sentado, pero se puede hacer en cualquier postura en la que estés cómodo, pero no demasiado como para que te quedes dormido. El objetivo de la meditación es permanecer despierto y consciente y sin embargo mantener un estado de relajación mientras te vuelves a unir con tu verdadero Yo interno. La manera más sencilla de meditar es poner tu atención en tu respiración y "observarla" cómo entra y sale de tu cuerpo. Cuando tu mente divague, como seguro lo hará, suavemente regrésala a observar tu respiración de nuevo.

Cuando practiques la meditación vas a tener los medios que te ayudarán a superar los momentos difíciles en los que quizá te preguntes "¿Qué pasará?", "¿Cómo voy a resolver esto?", "¿Cuándo terminará esto?". Al entrenarte a estar completamente presente en el *ahora*, lo único con lo que tienes que enfrentarte es con el *ahora;* y eso sí lo puedes manejar. Te ayudará a enfrentar *este* momento —lo cual puedes hacer— y *este* momento... y *este* otro... y no te preocuparás por pensamientos acerca del futuro, del dolor o de cómo estabas en el pasado antes de experimentar el dolor.

Cuando meditamos en el dolor podemos inhalar esa sensación y observar cómo cambia: algunas veces está, y otras desaparece. El dolor flota a nuestro alrededor a medida que nuestra meditación es más profunda y de alguna manera ya no es dolor sino una sensación fuera de nosotros. Esto, para mí, es la manera más efectiva de manejar el dolor.

Este tipo de enfoque es lo que significa ser paciente. La paciencia es vivir en el aquí y el ahora, no con una mitad de nosotros en el mañana y la otra parte en el pasado. Cuando vivimos nuestra vida en el presente nos damos más tiempo para disfrutar y valorar muchas de las cosas que nos rodean. Cuando lo hacemos bien podemos descubrir que el dolor se retira o incluso desaparece. Tenemos que ser amorosos con nosotros mismos, calmarnos y dejar que el tiempo fluya a través de nosotros y no sentir que las cosas con las que nos sentimos comprometidos nos amenacen. Necesitamos unas vacaciones "de presión" para soltar las cosas durante un tiempo hasta que recuperemos toda nuestra energía. Nuestro punto de concentración necesita centrarse en la manera de ayudarnos a nosotros mismos y en lo que podemos hacer en este momento. La práctica de la meditación puede ayudarnos a alcanzarlo.

Es una manera de estar en contacto con nosotros mismos de manera profunda y amorosa.

Añade algunas de estas afirmaciones a tu lista. Repítelas con frecuencia durante el día o incluso durante la meditación.

> *"Paz, aquiétate".*
> *"Puedo ir en cualquier momento a este centro interior de paz y tranquilidad. Siempre está ahí a mi disposición".*
> *"Mi centro está callado y en paz; vivo mi vida momento a momento".*
> *"Puedo aceptar y soportar este momento... y este... y este... Y eso es lo importante..."*
> *"Cuando las sensaciones estén muy intensas, hablaré conmigo mismo y me concentraré en una cosa a la vez". (Por ejemplo, primero tomo mi taza, veo el dibujo que tiene, llevo la taza a mis labios...")*
> *"Inhalo la sensación".*

Visualización

(véase la unidad 4 para obtener más ideas)

La visualización es una herramienta poderosa porque puede efectuar cambios en tu cuerpo y por eso es una terapia en sí. Mediante el uso de la visualización positiva puedes activar tus sistemas de curación y producir cambios reales en tu cuerpo.

La parte creativa de tu mente necesita tener permiso de volver a la vida antes de empezar una visualización, así que siempre aparta algunos momentos para relajarte pues esto permite que tu imaginación se abra. Puedes utilizar habilidades de visualización para ayudarle a tu cuerpo. Puedes calmar el dolor imaginándote que estás parado en una cascada de agua fría o acostado en una suave y mullida cama de nubes. O, con tu imaginación, puedes cambiar el dolor a una forma más aceptable para ti, por ejemplo, convertir una pelota roja grande de sensaciones en una pelotita azul. Con la práctica, la sensación puede incluso desaparecer totalmente.

Con tu imaginación trata de transferir el dolor a una pelota que se encuentre fuera de tu cuerpo. Usa tu mente para reducir un poco el tamaño de la pelota, quizá del tamaño de una pelota de tenis a una de golf, y luego vuélvelo a reducir si puedes. Una vez que hayas reducido el dolor lo más que puedas en ese momento, dale un nuevo tamaño a tu cuerpo. Nuevamente, puedes reducir completamente el dolor. Este ejercicio va a fomentar tu confianza para controlar el dolor.

Otra manera de utilizar la visualización es tener aventuras en la imaginación: en bosques frondosos, arenas tropicales o flotar en la canasta de un globo. Este tipo de visualización te relaja y te refresca. Al final de la sesión siempre vete sonriendo y lleno de vida y salud. Esto le enviará mensajes positivos a tu cuerpo y a tu mente.

Prueba esta visualización para "arreglar" una parte de tu cuerpo. Concentrado y relajado, te puedes influenciar y permitir que tu cuerpo haga cambios sutiles que lo lleven a la curación. Para obtener un mejor efecto, o bien graba la visualización o pídele a alguien que te la lea. Donde haya puntos deja suficiente tiempo para permitir que tu imaginación vuele libremente.

Encuentra un lugar cómodo y callado en el que puedes estar en paz... Pon tu atención en la entrada y salida de tu respiración. Empieza a sentirte tranquilo y en paz... En tu siguiente exhalación, deja salir todo el aire con un ligero suspiro... "Ahhhhhhhhhhhhhhhhh"... Relaja tu rostro y esboza una media sonrisa... En la siguiente exhalación deja que el suspiro se desplace de la parte superior de la cabeza hasta las plantas de los pies... Tu cuerpo está relajado... Tu mente está en paz... Te sientes totalmente relajado... Ahora, imagina que te haces chiquito... Como pulgarcito... Y flota en tu interior y acércate al lugar de tu cuerpo que necesite atención especial... Ve esa área tal y como te la imagines en el momento... No importa si no conoces los detalles médicos. Tus ideas son mucho más importantes por ahora... Percibe cómo aparece delante de ti... Ten una imagen realmente clara de cómo se ve... Las estructuras, las formas, las texturas e incluso el sonido... Haz una pausa larga...

Ahora empieza a reparar y a arreglar esa parte. Haz lo que sea necesario hacer para que vuelva a estar como nueva... Quizá te gustaría limpiar esa parte utilizando algún spray en espuma o agua en atomizador... O quizá aceptes la ayuda de otras personas, tal vez de algunos dragoncitos que echan fuego para limpiar esa parte... O quizá utilizar una plancha para eliminar las arrugas... Podrías proteger y darle apoyo a un área con pequeñas y mullidas almohadas... Luego puedes verterle calmantes al área con geles y lociones curativas... Crea en tu imaginación cualquier cosa que necesites para esa área... Vete en tamaño pequeñito muy ocupado, muy fuerte y, sin embargo, hazlo con suavidad para poder lograr maravillas... Sé realmente creativo e ingenioso... Usa imágenes y fotografías que te llamen la atención... (Haz una pausa más larga)...

Puedes hacerte la pregunta, ¿qué necesita mi cuerpo?... Espera que las ideas surjan. Sigue este ejercicio... Pasa tanto tiempo como necesites dentro de ti y de la parte que necesitas curar para que el área se vuelva sana y perfecta.

Cuando la parte haya sido limpiada, reparada y esté trabajando con eficiencia, mira a tu alrededor y siéntete orgulloso del trabajo que has hecho... Tómate todo el tiempo que necesites en esta etapa del ejercicio; ve cómo el área brilla y está sana... Luego, lenta y suavemente regresa a tu tamaño normal... Y después, cuando estés listo, regresa al lugar en que te encuentras... Sigue las labores del día sabiendo que hay una diferencia en cuanto a la manera en como tu cuerpo está trabajando y que le has dado libertad a tu proceso de curación.

A continuación te muestro algunas afirmaciones que tal vez te gustaría repetir durante el día para hacer que el área creativa de tu mente florezca:

"Cuando me relajo libero mi imaginación!"
"Mi mente creativa hace maravillas para mí".
"Utilizo mi fortaleza interior y mi poder de imaginación".
"Tengo todo lo que necesito para liberar el dolor y permito que mis procesos de curación fluyan".

Libera tus sentimientos

(Véase la unidad 5 para obtener más ideas)

Cuando experimentamos un ataque de dolor es probable y comprensible que tengamos sentimientos negativos. Está bien tener estos sentimientos negativos dado que no los embotellamos. Los sentimientos son para sentirse y necesitan ser expresados. Necesitamos pasar tiempo con los sentimientos que quizá estemos reprimiendo, o con los que podamos estar expresando inadecuadamente, como ser irritables con los demás, cuando en realidad estamos enojados por el dolor. Cuando liberamos nuestras emociones de manera inadecuada, permitimos que nuestro proceso de cu-ración fluya. Si esto es lo que necesitas, prueba la siguiente técnica para quitar los bloqueos emocionales. Cuando estás callado y receptivo estás abierto a tu yo intuitivo y sabio.

Pasa algunos momentos permitiendo que tu respiración se vuelva tranquila y profunda y luego pregunta.

"¿Cómo me siento respecto al dolor?"

Las respuestas se presentarán en la forma de los primeros pensamientos que lleguen a tu conciencia, como una imagen o una sensación en tu cuerpo o simplemente como un sentimiento de algún tipo. Si recibes una respuesta que diga más o menos que estás "triste" o "enojado" o que tenga que ver con alguna otra emoción negativa puedes preguntarte.

"¿Qué puedo aprender de esta experiencia que pueda liberarme de esta emoción?"

Sigue haciendo esta pregunta hasta que tengas el sentimiento de "Se acabó" o "ya entendí". Luego te puedes preguntar.

"¿Hay alguna acción que pueda tomar?"

Este proceso te va a ayudar a limpiar cualquier bloqueo emocional y te va a dar un curso de acción.

También puedes liberar la emoción físicamente, digamos, llorando si estás triste o pegándole a una almohada para liberar el enojo. Compartir tus emociones o decirle a los demás cómo te sientes también puede ayudarte a entenderlos y liberarlos. Si esto no es conveniente, los puedes escribir, expresando cómo te sientes en el papel. Cuando termines, cuando la emoción se haya ido, destruye el papel sin leer lo que está escrito. Muévete tan rápido como puedas para realizar alguna acción, lo cual fomentará sentimientos más positivos.

Fomenta las emociones positivas

(Véase la unidad 3 para obtener más ideas)

Para progresar resulta esencial que hagamos todo lo posible para mejorar la manera de sentir y darnos el apoyo necesario fomentando de manera deliberada una actitud positiva. Podemos hacer esto concentrándonos en lo que podemos hacer y en lo que tenemos. Al reconocer este aspecto positivo de nuestra vida nos sentimos más seguros y en equilibrio. Así que deja ir todos los pensamientos o las lamentaciones respecto de lo que no puedes hacer por el momento. Cualquiera que sea la situación todavía hay mucho que puedes apreciar y por lo que debes estar agradecido.

Cambiar físicamente nuestra expresión también nos ayudará a alejarnos de la negatividad. Cuando sonreímos, comunicamos un mensaje firme a nuestra mente subconsciente que dice, "Todo está bien, relájate y tranquilízate". Ni siquiera necesitamos tener ganas de sonreír para que esto ocurra. Si relajamos nuestros músculos faciales deliberadamente y dejamos que nuestros labios esbocen una media sonrisa, ese mismo mensaje será enviado sin importar los sentimientos que tengamos en el momento. Es sorprendente que muy pronto nos relajamos más y tenemos más serenidad cuando nuestra mente y nuestro cuerpo reciben el mensaje. Una buena manera de hacer un experimento con la terapia de la sonrisa es poner tu atención en la respiración a medida que inhalas y exhalas, dejando que tu rostro se relaje y que sonría a medias. Practica mientras escuchas la radio, música, mientras ves por la ventana o haces cualquier otra actividad.

Aprovecha cualquier oportunidad que tengas para observar y escuchar películas, videos, programas de radio o cintas de audio cómicos o para repasar en tu mente eventos divertidos de tu vida. Lee libros cómicos, caricaturas o comics, todos van a disparar la misma respuesta: las endorfinas que mejorarán tu estado de ánimo y reducirán tu dolor.

Otras acciones para mejorar el estado de ánimo incluyen salir a hacer alguna actividad física, si puedes: platicar con algunos amigos, acariciar algún animal, prepararte tu botana o comida favorita, acercarte a la naturaleza, sentarte a tomar un baño de sol, planear una actividad para cuando te sientas mejor, escuchar tu música favorita, particularmente si la puedes cantar. Mi modo favorito de consentirme es darme un baño relajante con algunos aceites esenciales. Escucho algún ritmo: música de blues que acompaño con lo que yo llamo "música corporal". Toco los ritmos de las canciones en mis brazos y en mis piernas, toco el ritmo en el aire, en el agua, en las paredes de la tina, encontrando varios sonidos para las diferentes superficies; me divierto mucho y es un levantón de estado de ánimo garantizado.

Aquí hay algunas afirmaciones para tu bienestar emocional. Repítelas una y otra vez hasta que te las creas:

"Estoy seguro y siempre estoy bien".
"Tengo el poder y la autoridad de mi vida para liberar el pasado y aceptar el bien hoy".
"Tengo muchas bendiciones en mi vida".
"Me amo y me apruebo".
"Estoy feliz de ser yo".
"Sonrío suavemente y me siento sereno".
"Todo está bien en mi mundo".

Acepta la situación

Nuestra actitud respecto al ataque puede hacer una diferencia radical en cuanto a cómo lo manejamos y que tanto pasamos por él. Así como uno acepta que los dados caen en un juego de azar, una aceptación completa y absoluta de la situación es el camino correcto. Necesitamos avanzar del pasado y ahorrar nuestras energías emocionales y mentales para enfrentar el ataque. Esto lo hacemos aceptando que el ataque ha ocurrido y que no ganamos nada culpando a algo o a alguien, especialmente a nosotros mismos. Las sensaciones físicas cesarán a su tiempo y podemos ayudar a nuestro cuerpo a callarse teniendo una actitud tan constructiva como nos sea posible para que nuestro proceso natural de curación pueda ocurrir efectiva y eficientemente. Cuando aceptamos la situación nos estamos liberando de pensamientos desalentadores como "Ay, si tan sólo..." y de todos los pensamientos que luchan contra la situación. La situación es como es, ocurrió, y por ello no debe haber culpa ni remordimientos. Ve con ella, fluye con ella, no luches contra ella, deja que tome su curso. La aceptación no significa ni que nos guste la situación ni que nos estamos rindiendo o que nos hemos resignado. Simplemente reconoce la realidad, lo que es. Estamos diciendo que podemos aceptar que el ataque está aquí y tenemos libertad para continuar con lo que se necesita hacer.

Si descubres que los pensamientos y sentimientos inútiles regresan, repite el procedimiento de detenerte descrito en el paso 1 y refuerza una actitud de aceptación con un poco de diálogo interno positivo que te permitirá que avances con alguna de tus estrategias de manejo del dolor. Aquí hay algunas ideas de afirmaciones que pueden fomentar una actitud de aceptación. Repítelas durante el día con frecuencia con una voz interna, con una calmada convicción:

"Bueno ya pasó... Ahora me concentro en lo que voy a hacer con eso..."
"Acepto la situación... fluyo con ella".
"Libero los pensamientos del pasado que ya ha ocurrido y de lo que todavía está por venir".
"Tomaré un día a la vez y me concentraré en lo que estoy haciendo ahora".
"Acepto los pensamientos y sentimientos negativos y los dejo atravesar mi mente sin pasar tiempo con ellos. Los dejo ir".
"Soy paciente y dejo que el tiempo pase".

"Dejo que las cosas tomen su camino".
"Dejo que pase cualquier cosa que esté pasando".
"Suéltate, flota y déjate ir".
"Cuando acepto la situación pongo atención a lo que se necesita hacer".

Perdón

Nuestras emociones con frecuencia se alteran cuando tenemos un ataque de dolor, y tal vez descubramos que para podernos sentir "sanos" y para poder avanzar necesitamos tener una actitud de perdón hacia algo o hacia alguien en nuestra vida. Este puede ser un pensamiento desafiante y tenemos que apoyarnos y darnos comprensión y compasión. Nosotros somos los beneficiarios principales cuando perdonamos a nosotros mismos o a otros, porque el acto del perdón nos libera. El perdón no implica que nos guste o que condonemos a la persona o el acto; es un proceso de soltar, de permitir que el pasado se quede donde pertenece. El acto de perdonar nos deja libres para vivir nuestra vida y progresar. Cuando queremos perdonar, todo lo que tenemos que hacer es tener el deseo de perdonar, tan simple como eso. Prueba la siguiente visualización después de una sesión de relajación cuando te sientas en paz y tranquilo:

Relájate y permanece tranquilo... Ten amor en tu corazón... Cuando estés listo, pregúntate

"¿Qué o a quién necesito perdonar?"

... La respuesta puede venir como un pensamiento, una palabra, una imagen o una sensación de algún tipo. Procede suavemente y tómate tu tiempo... Cuando tengas la respuesta imagínate a lo lejos una montaña... En la montaña hay un hermoso globo de colores con una canasta en la parte inferior... En el globo está escrito "perdona" en letras grandes de oro. Ve a la persona o personas involucradas tan pequeñitas que los puedas poner en la canasta... Con comprensión, perdón y un deseo de perdonar diles "estoy dispuesto a perdonarlos, los dejo ir..." Cuando digas esto, imagínate la canasta del globo y la palabra perdona flotando en el cielo y gradualmente haciéndose más pequeños y desapareciendo de la vista lentamente.

Con frecuencia descubres que es a ti mismo a quien tienes que perdonar; quizá te hayas estado culpando o teniendo otros sentimientos negativos respecto a tu situación. Si es así, pon la emoción en la canasta del globo... Y esta vez di, "Estoy dispuesto a perdonarme... lo suelto..." y ve cómo el globo y la canasta flotan lentamente y se alejan hasta que se vuelven un puntito y después se van... A medida que el globo se aleja, siente cómo las emociones negativas disminuyen y desaparecen.

Lenta, muy lentamente regresa al lugar en el que estás, sintiendo paz y libertad en tu interior.

Este es un hermoso ejercicio que puedes repetir una y otra vez. Siempre te sentirás liberado y te dará un sentimiento de libertad porque perdonar es un acto de amor que permite que tu corazón se abra a medida que desaparecen las heridas del pasado.

Estas son algunas afirmaciones que refuerzan el acto de perdonar. Utilízalas con frecuencia durante el día o durante la visualización.

"Perdono y me libero".
"Suelto todo lo que no es amor y que esté presente en mi vida".
"La armonía y la paz llenan mi vida".
"Estoy lleno de alegría".
"Estoy libre del pasado".
"Todo está bien en mi mundo".

Autorregulación

(Véase la unidad 7 para más detalles)

Cuando experimentas una recaída o un ataque de dolor tu cuerpo te está diciendo que necesita tu atención y que le está siendo difícil seguir haciendo todas las cosas que le estás pidiendo que haga. Cuando pones atención a los mensajes que te manda el cuerpo, le puedes dar el respiro que necesita. En lugar de gastar tu energía en estar de un lado para otro, tu cuerpo se puede calmar y concentrar sus energías en el proceso de curación. No importa cuántas personas pienses que dependen de ti, o cuántas cosas pienses que necesites hacer, en este momento es esencial que pongas tu cuerpo en orden para poder permitirle que vuelva a obtener salud y fortaleza. Es tiempo de decir "No, lo siento, no puedo hacerlo hoy" si te piden que hagas algo que no estás en condiciones de hacer. También puedes decir lo mismo cuando piensas que no tienes que hacer o no quieres hacer algo que sería sensato no hacer por el momento. Cuando me descubro queriendo hacer algo extra, algunas veces me pregunto "¿Esto le va a ayudar a mi espalda?" ¡Y la respuesta raramente es afirmativa!

Sé que puede resultar muy difícil "soltar" y dejar trabajos y actividades incompletos pero en el momento de un ataque necesitas tratarte como tratarías a un niño pequeño que necesita cuidados y apoyo. Necesitas respetarte y nutrirte y dejar el suficiente tiempo para recuperarte de nuevo. Quizá sea necesario que tengas que pedir ayuda extra a tu familia y a tus amigos. Algunas veces necesitas considerar obtener ayuda extra de profesionales o de algún sistema de apoyo privados. Si es así, deja ir tus ideas preconcebidas y tu orgullo, y acepta el apoyo que necesitas para estar bien de nuevo.

Autorregulación en la primera etapa

En la primera etapa de un ataque, tranquilízate y planea tu día de manera que tengas algunos descansos durante el mismo: recuerda que tu preocupación primordial son las necesidades de tu cuerpo y, por lo tanto, es esencial que reduzcas el estar sentado, parado, caminar y otras actividades hasta un nivel en que las puedas manejar. Esto tal vez signifique reducir las actividades a la mitad o a una tercera parte de lo que estabas haciendo. Algunas veces quizá decidas descansar un día completo —usa tu propio criterio. Sin embargo, sigue siendo importante seguir moviéndote tanto como sea posible porque los músculos que no se utilizan se vuelven rígidos y se lastiman. Haz lo que puedas, aunque sea durante medio minuto.

Autorregulación en la segunda etapa

Es relativamente fácil cuidarte cuando las sensaciones de un ataque están en su punto más alto, y casi nunca hay alguna posibilidad pues tu cuerpo te exige reposo absoluto. A medida que te empiezas a recuperar y las cosas parecen ser más fáciles de manejar a medida que cesa el ataque, la tendencia natural es estar tan agradecido que bajas la guardia y realizas mucho más actividades tratando de regularizarte y aprovechar al máximo el tiempo. En lugar de clavarte en los trabajos que parecen estarte diciendo, "Me tienes que hacer ahorita", siéntete feliz de que no tienes tanto dolor y disfruta el tiempo de reposo extra que tienes y la libertad de la presión. No regreses corriendo a trabajar o empieces a hacer el quehacer en ese momento. Date tanto tiempo como sea posible para que el máximo de energía pueda irse para curar tu cuerpo.

Utiliza el tiempo para realizar actividades placenteras que te distraigan de los síntomas que todavía experimentas. También es bueno utilizar este tiempo como un periodo de revisión y aprendizaje; quizá podrías trabajar con algunas de las unidades de este libro, haciendo una lista, o notas mentales de todas las técnicas que te sean útiles. Ten esperanza y haz planes para el futuro.

Autorregulación en la tercera etapa

A medida que las sensaciones se calman y confías en que las cosas están más estables, puedes comenzar a extenderte de nuevo. Aumenta poco a poco tus actividades. Si tu nivel de actividad necesita un monitoreo muy cercano, podrías utilizar un cronómetro para realizar actividades básicas como sentarte y caminar, y puedes aumentar muy gradualmente los periodos. Ten mucho cuidado en no cargarte demasiado con las cosas que haces y respeta el tiempo que te has asignado para esto. De esta manera vas a permanecer en control del dolor.

Una vez que te sientas un poco más fuerte, trabaja con el programa de autorregulación de la unidad 7. Esto te ayudará a reducir las probabilidades de que ocurra un ataque en el futuro y te va a permitir pasarlos con mayor facilidad si ocurren.

Aunque quizá no tengas ganas de hacer ejercicio, realmente necesitas empezar a moverte para liberar a los músculos que probablemente se hayan vuelto rígidos y adoloridos. Movernos nos hace sentir mejor con nosotros mismos y casi siempre reduce el dolor. Empieza con un programa sencillo de estiramiento, aunque sólo sea para los dedos de las manos y de los pies. La mejor forma de ejercicio es la que más disfrutas, y tal vez te agrade moverte al ritmo de la música suave. Deja que la música fluya a tu alrededor y sobre ti, diciéndote cómo moverte, y simplemente fluye con el ritmo. Muévete lo más que puedas y espacia tus ejercicios durante el día. Si notas que el dolor aumenta en algún momento, deja de hacer lo que estás haciendo de inmediato. Cuando termine el ataque, tómate un tiempo, especialmente si vas a regresar a trabajar. Idealmente, quizá te podrías tranquilizar tomando un trabajo de medio tiempo o trabajando desde tu casa durante algún tiempo. Algunas veces, por supuesto, cuando se den cambios, tienes que aceptar que no es bueno "tener una vida acelerada" en lo absoluto. Aceptar este tipo de cambios puede tomar tiempo, pero con el respaldo y el apoyo de las habilidades que puedes aprender de las técnicas contenidas en este libro vas a tener el conocimiento y la comprensión para aprovechar al máximo la mano que te estamos dando. Tu espíritu volará, aunque tu cuerpo no pueda hacerlo.

Afirmaciones para los ataques de dolor

Escoge algunas de las siguientes afirmaciones en las diferentes etapas del ataque, o inventa las tuyas para que se adapten a tus circunstancias en particular. Repítelas con frecuencia durante el día. Cuando nos administramos pensamientos positivos, cambiamos la manera en la que nos sentimos respecto del ataque y también en la que percibimos el dolor. Las sensaciones de dolor disminuyen con la actitud positiva que obtenemos cuando nos sentimos en control.

"Sé qué hacer iestoy en control!"
"Acepto la situación, fluyo con ella..."
"Me concentor en lo que puedo hacer".
"Hay mucho que puedo hacer para ayudarme".

"Acepto cualquier ayuda que se me ofrece".
"Hay muchas personas recorriendo este camino, no estoy solo".
"Tranquilo, está en paz, sé paciente".
"Me es fácil ser paciente".
"Espero... Hay mucho tiempo".
"Estoy utilizando este tiempo como un periodo de aprendizaje".
"Estoy disfrutando este descanso y la oportunidad de aprender algunas nuevas habilidades".
"Todos los días soy más fuerte".
"Paso mi tiempo con actividades que puedo disfrutar".
"Disfruto nuevas maneras de manejar las situaciones".
"Estoy abierto a nuevas ideas".
"Planeo y sigo mi programa de autorregulación durante el día".
"Doy un paso a la vez".
"Disfruto sentir que mi cuerpo se mueve y se activa de nuevo".
"Cuido mi cuerpo, respeto mi cuerpo".

"Mi cuerpo me ha servido bien y por eso lo cuido".
"Me muevo por la vida con tranquilidad y alegría".

Aprender de los ataques

Toda "crisis" en la vida es una oportunidad de crecimiento personal. Cuando vemos la vida con esto en mente, podremos descubrir que algo bueno ha salido de todas las situaciones difíciles. Habremos crecido de alguna manera, y habremos descubierto aspectos de nosotros mismos o de la vida en general. Estos cambios, que siempre son agradables, probablemente no hubieran podido ocurrir si no nos hubiéramos encontrado y pasado esas dificultades. Los ataques son una oportunidad real de que progresemos de alguna manera, ya sea en un nivel práctico, con alguna manera nueva de manejar la situación, o en un nivel más profundo y más espiritual. Una vez que el ataque cese es bueno observar qué hemos aprendido.

Anota las respuestas a estas preguntas para que te refieras a ellas en el futuro para recordarte cualquier acción que decidas tomar. Sé totalmente honesto con tus respuestas para aprender. La situación que causó el ataque está en el pasado y no se puede cambiar, así que puedes hacer buen uso de ello.

- *Para evitar que ocurra un ataque ¿podrías haber manejado la situación que lo produjo de manera diferente?*

- *De ser así, ¿cómo la podías haber manejado?*
- *¿Necesitas buscar información o buscar ayuda de otra persona?*
- *¿Qué has aprendido de lo que puedes y no puedes hacer fácilmente?*
- *¿Puedes cambiar algo de tu rutina?*
- *¿Puedes hacer algunos cambios útiles en tu medio ambiente?*
- *¿Te faltó confianza para decir "No" a algo que considerabas demasiado para ti?*
- *Si vas a hacer cambios de algún tipo, ¿qué necesitas hacer?*
- *¿Qué has aprendido durante el ataque?*
- *¿De qué manera se han desarrollado tus recursos internos durante el ataque?*
- *¿Hay algo más que puedas aprender de este ataque?*
- *¿Puedes hacer algo más?*
- *¿Hay algo que quieras hacer para ayudarte en general o en un ataque futuro?*

Da una respuesta tan completa como puedas a las preguntas, y haz listas de cosas que puedes hacer para mejorar tu calidad de vida, si te parece adecuado. Piensa mucho en cómo vas a realizar los cambios que consideras necesarios. Por ejemplo, puedes aprender que necesitas hacer las cosas más lentamente, porque estás haciendo demasiado. Para vencer un aspecto general como éste necesitas pensar bien cómo vas a lograr tus objetivos.

Para apoyarte en responder este cuestionario, escoge de estas afirmaciones o haz las tuyas y repítelas con frecuencia cuando llegues a la etapa en la que requieras hacer este ejercicio.

> *"Esta ha sido una gran oportunidad de aprender".*
> *"Reconozco los logros que he tenido a pesar de la adversidad".*
> *"Reconozco mi crecimiento personal".*
> *"Lo he hecho muy bien y es maravilloso saber que estoy en control".*
> *"Si esto vuelve a ocurrir, estoy bien preparado".*
> *"Disfruto seguir aprendiendo y creciendo".*
> *"Todo está bien en mi mundo".*

La alabanza y las felicitaciones

Finalmente siempre es importante reconocer tu crecimiento y alabarte por todos los logros que has tenido en el camino, sin importar qué pequeños puedan ser. Reconoce tus logros y regístralos en tu diario. Leelos y compartelos con tu familia y tus amigos. No seas modesto o minimices tus logros, todos lo hacemos muy bien y hacemos lo mejor que podemos con el conocimiento y la comprensión que tenemos en ese momento. Nuestra capacidad para nutrirnos y apoyarnos a nosotros mismos aumenta diariamente a medida que adquirimos más habilidades y nos sintonizamos cada vez más con las necesidades de nuestro cuerpo. Estamos aprendiendo a manejar algo que nadie más puede valorar y esto merece un reconocimiento. Así que repítete con frecuencia que te quieres, te apruebas y te felicitas por lo bien que vas en lo que puede ser finalmente un viaje que te eleva e inspirador.

Resumen

Un ataque de dolor puede ser una gran oportunidad para aprender de ti mismo, para desarrollar tus fortalezas internas, aprender cómo manejar el dolor y a reconocer las necesidades de tu cuerpo. Vas a tener más conciencia y más comprensión y conocimiento a tu disposición que te ayudará a evitar los ataques en el futuro. No dejes de aprender una vez que haya pasado el ataque. Sigue descubriendo tanto como puedas acerca de ti y de tu cuerpo, sigue practicando las habilidades básicas como la relajación, la respiración diafragmática y la meditación. Estas técnicas son benéficas tengas o no tengas dolor. Y si necesitas utilizarlas con mayor intensidad en el futuro, estarás bien preparado.

En cualquier ataque que se presente en el futuro, recuerda el plan de acción de los ataques, y sabe que tendrás las estrategias que te darán apoyo y te llevarán a tener un cuerpo, una mente y un espíritu fuerte, en paz y fortalecido.

Resumen del plan de acción para ataques

Paso 1

Detente, "Sé qué hacer".

Paso 2

Respiración diafragmática
"¡Me concentro en mi respiración!"
Afirmaciones
"Relájate —esto pasará".

Paso 3

Selecciona la siguiente estrategia.
Relajación,
Meditación,
Visualización

Libera tus sentimientos.
Fomenta las emociones
positivas, la aceptación y el perdón

Autorregulación,
Aprender del ataque
Alabanza y felicitaciones

TÍTULOS DE ESTA COLECCIÓN

50 Formas Sencillas de Consentirte
50 Formas Sencillas de Consentir a tu Bebé
365 Maneras de Energetizar tu Cuerpo, Mente y Alma
365 Formas para Relajar tu Mente, Cuerpo y Espíritu
Aromaterapia para Practicantes. *Ulla-Maija Grace*
Baños Sanadores con Aromaterapia. *M. V. Lazzara*
Bodynetics. *Gustavo Levy*
Canalización. *Roxanne McGuire*
Colores y Aromas. *Susy Chiazzari*
Corazón Saludable. *David Hoffmann*
Cura tus Alergias y Goza de tu Vida. *Martin F. Healy*
Do-In. *May Ana*
Drogas Peligrosas. *Carol Falkowski*
Duerme Profundamente esta Noche. *B. L. Heller*
El Libro del Yoga. *Imelda Garcés Guevara*
Energía y Reflexología. *Madeleine Tourgeon*
Escuchando a tu Alma. *Dick Wilson*
Herbolaria Mexicana. *Dr. Edgar Torres Carsi*
Hidroterapia. La Cura por el Agua. *Yolanda Morales*
La Anatomía Energética y la Polaridad. *M. Guay*
La Autopolaridad. *Michelle Guay*
La Ciencia de los Chakras. *Daniel Briez*
La Mente. Masajes Mentales. *M.E. Maundrill*
La Música... El Sonido que Cura. *K. y R. Mucci*
Las Maravillas del Masaje. *Imelda Garcés Guevara*
Manual Completo de Esferas Chinas. *Ab Williams*
Masajes para Bebés. *Gilles Morand*
Meditación Práctica. *Steve Haunsome*
Meditación y Paz. *Imelda Garcés Guevara*
Naturopatía
Reiki. Guía Práctica. *Bill Waites y Master Naharo*
Reiki Plus. La Curación Natural. *David G. Jarrell*
Reiki Plus. Manual de Prácticas Profesional. *Jarrell*
Relajación Inmediata. *Alain Marillac*
Renacer con las Flores de Bach. *Fils du Bois*
Respiración. Método Básico. *K. Taylor*
Salud con Colores. Guía Práctica. *Graham Travis*
Sanación. Reiki. *C. G. Peychard*
Sanación Natural del Dolor. *Jan Sadler*
Sanación Solar. *Richard Hobday*
Siéntete de Maravilla Hoy. *Stephanie Tourles*
Tu Cabello Naturalmente Sano. *M. B. Janssen*
Tu Cuerpo y sus Secretos. *Jocelyne Cooke*
Tu Rostro y su Secretos. *Jocelyne Cooke*
Tus Lunares, ¿qué expresan? *Pietro Santini*
Tus Pies. Su Cuidado Natural. *S. Tourles*
Un Arte de Ver. *Aldous Huxley*